プロローグ

この世には二つの異なる次元が、合わせ鏡のように存在している。

一つは人間の住む”物質界《アッシャー》“。

一つは悪魔の棲《す》む”虚無界《ゲヘナ》“。

本来であれば、両者は互いに干渉し得ないはず。

しかし、悪魔はこちらの世界のあらゆる物質に憑依《ひょうい》することで、干渉し、脅《おびや》かしていた。

『祓魔師《エクソシスト》』とはそれらの悪魔を祓《はら》い、物質界《アッシャー》の平和を守る気高き騎士達の総称である。

で戦う『騎士《ナイト》』。

器で戦う『竜騎士《ドラグーン》』。

を操って戦う『手騎士《テイマー》』。

や経典を唱えて戦う『詠唱騎士《アリア》』。

を担う『医工騎士《ドクター》』。

て、それら祓魔師《エクソシスト》の最高峰たる『聖騎士《パラディン》』。

歴代最強と謳《うた》われた聖騎士《パラディン》・藤本獅郎《ふじもとしろう》は、
魔神《サタン》の落胤《らくいん》である養い仔《ご》・奥村燐《おくむらりん》をその魔の手より守る為、壮絶な最期《さいご》を遂げる。

残された燐は、正十字騎士團《せいじゅうじきしだん》の名誉騎士《キャンサー》であり亡き獅郎の友人でもあるという
メフィスト・フェレス卿《きょう》に、ある選択を突きつけられる。

「大人しく我々に殺される」か。

「我々を殺して逃げる」か。

「自殺する」か。

燐はそのどれでもなく、祓魔師《エクソシスト》になり魔神《サタン》を倒すことを誓い、
メフィストが理事を務める正十字学園祓魔塾《ふつまじゅく》の訓練生《ペイジ》となる。

そして、そこには史上最年少で祓魔師《エクソシスト》となり、講師として教壇に立つ双子の弟・雪男《ゆきお》の姿があった。

対・悪魔薬学の天才と呼ばれ、常に冷静沈着に任務に当たる弟に、燐はライバル心を燃やす。


「ぜってー、お前を追いぬいてやるからな!!」

「冗談は頭の出来だけにしてくれ」


——これは、そんな悪魔を倒す悪魔のお話。

青の祓魔師《エクソシスト》

ウィークエンド・ヒーロー

加藤和恵
矢島綾

JUMP j BOOKS

メインキャスト

奥村燐《おくむらりん》

藤本獅郎《ふじもとしろう》に育てられた
魔神《サタン》の息子。
獅郎の仇を討つため、
祓魔師《エクソシスト》を目指す。
勉強は出来ないけど
料理の腕はプロ級。

奥村雪男《おくむらゆきお》

燐の双子の弟。
最年少で祓魔塾《ふつまじゅく》の講師を
務める天才少年。
生徒である燐の成績に頭を
痛める日々。

クロ

燐の使い魔である猫又《ケット・シー》。
マタタビ酒が好物の
『ひゃくにじゅういっさい』

杜山《もりやま》しえみ

祓魔用品店『フツマヤ』の娘。
緑男《グリーンマン》の幼生を召喚できる。
料理の腕前は…。

勝呂竜士《すぐろりゅうじ》

京都の由緒ある仏教宗派・明陀宗《みょうだしゅう》の跡取り。見た目はヤンキーだがまじめな秀才である。

志摩廉造《しまれんぞう》

勝呂の父の弟子であり、京都からの友人。基本的に女の子に弱い。虫にも弱い。

三輪子猫丸《みわこねこまる》

勝呂の父の弟子であり、京都からの友人。明陀宗の中の名家・三輪家の現当主。

神木出雲《かみきいずも》

巫女の血統で、祓魔師を目指す少女。白狐《ビャッコ》を召喚できる。朴と一緒に塾に通っていた。

朴朔子《ぱくのりこ》

出雲の親友の少女。かつては祓魔塾に彼女と一緒に通っていた。出雲とは今でも仲良し。

メフィスト・フェレス

正十字《せいじゅうじ》学園の理事長であり、祓魔塾の塾長でもある。その思惑は未だ不明である。

霧隠《きりがくれ》シュラ

獅郎の弟子であり、燐に剣を教える師。高い戦闘技能を持つが普段は適当に見える。

青の祓魔師《エクソシスト》 ウィークエンド・ヒーロー

目次《もくじ》

プロローグ 005

ウィークエンド・ヒーロー 011

キミとタンゴを踊《おど》りたい 077

煩悩坊主《ぼんのうぼうず》 115

奥村燐《おくむらりん》救済会《きゅうさいかい》 155

フェレス卿《きょう》の優雅《ゆうが》な一《いち》日《にち》 201

あとがき 226

ウィークエンド・ヒーロー

僕が武器に拳銃を選んだ理由を、ある年上の女性《ヒト》は、僕の弱さだと言った。
悪魔《相手》との間に距離を置きたいのは、お前がビビってる証拠だと。
神父《とう》さんは言った。
お前の距離《それ》はビビリじゃねえ。
お前がより多くの人を助けたいと思っている証《あかし》だ、と。
笑って、幼い時のように僕の頭をくしゃっと撫《な》でてくれた。
——僕は神父《とう》さんのような祓魔師《エクソシスト》になりたかった。

✝

これは南十字《みなみじゅうじ》男子修道院の双子《ふたご》が、まだ中学生だった頃のお話。

　マナーモードに設定した携帯が、学生鞄《かばん》の中で青く点滅している。

　奥村雪男《おくむらゆきお》は周囲の級友に気づかれぬよう、そっと受信メールを確認した。できるかぎり表情を変化させずにそれを読み終え、静かに席を立つ。

　休み時間中ということで、教室内は生徒達の談笑でざわめいている。

　教壇の脇《わき》で、担任の教師が数人の生徒と雑談している。どうやら、学年末試験のヤマについて聞かれているようだ。

「——中尾《なかお》先生、少しよろしいですか？」

「おお、奥村。どうした？」

　教師がこちらに視線を向ける。体調不良を理由に早退を願い出ると、毎度のことなのであっさり承認された。

「お前は、病弱なんだから気をつけろよ。学年末も近いんだからな」

「はい」

「学年一位をキープしてくれよ。期待してるからな」

　笑顔で告《つ》げる教師に礼儀正しく頭を下げ、自身の席に戻ると、周囲の女子生徒が声をかけてきた。

「奥村くん、早退しちゃうの？」

「えー、またァ？　大丈夫～？」

「身体《からだ》弱いんだから、無理しちゃダメだよ？」

「うちらで、校門まで送っていこうか？」

「大丈夫だよ」

心配してくれるのはありがたいが、あまり騒ぎたてないでほしい。それに、心配しているというよりは楽しんでいるようだ。きゃっきゃとはしゃぐ彼女達に困ったような笑顔で応じつつ、手早く荷物をまとめ、教室を出る。

廊下の隅《すみ》には幾人《いくにん》かの男子生徒がたむろしていた。

帰り支度《じたく》をした雪男の姿に、またか――というような視線を送ってくる。だが、特に咎《とが》められることも、からかわれることもない。雪男のほうで、そういった付き合い方を心がけてきた。他者と馴《な》れ合《あ》いすぎることも、逆に孤立しすぎることも、円滑《えんかつ》な学生生活を送るうえで妨《さまた》げとなる。

特に親しくもないただの級友の一人。卒業した後、アルバムを見返した時に、ああ、そういえば、こんな奴《やつ》もいたっけ、と思い出す程度。それ以上でもそれ以下でもなくていい。

彼らの脇を通り抜ける際、会話の一部が風に乗って聞こえた。奥村ってさぁ、と一人の男子生徒が雪男の名を挙《あ》げる。

「すげえ身体弱《よえ》ーよな。兄貴と違って」

「あの兄貴のほう、また他校の奴らと喧嘩《けんか》したらしいじゃん」

「マジ?」

「おう。しかも、商業高校の奴らだって」

「すげー、年上かよ……」

「それも、十対一で勝ったらしいぜ」

「マジ、悪魔だよな」

彼らの話題は、雪男本人から彼の兄へと移っていく。双子の兄である奥村燐《りん》はとにかく話のネタの尽《つ》きない男だった。しかも、あまり好ましくない話の――。

雪男は兄の話題で盛りあがる級友達をよそに、足早に廊下を後にした。

彼らの話題にのぼっている兄本人と出会うのだけは、なんとしても避けたかった。早退についていろいろ面倒な言《い》い訳《わけ》をしなければならなくなる。

しかし、そんな心配は杞憂《きゆう》に終わった。

あるいは、今日も学校をサボっているのかもしれない。朝、自分と一緒に出たはずの兄が、途中で学校を抜け出している――というのは、今に始まったことではない。

普段であれば兄の素行を心配する雪男だが、こういう時は心底、ありがたい。

短い休み時間を満喫《まんきつ》する生徒の間をぬって、裏門から外に出る。うららかな午後の住宅街は、それまでの喧騒《けんそう》が嘘《うそ》のように静かだった。

雪男は学生鞄から携帯を取り出し、耳に当てると同時に、走りだした。

「――はい。奥村です。今から現場に急行します。ええ、あと十分ほどで」

そう告げる顔つきは、今までの病弱でおとなしい優等生のものではない。


険《けわ》しい戦士の顔つきだった。


正十字騎士團《せいじゅうじきしだん》の團服に着替えた雪男が現場に着くと、正十字学園町《がくえんちょう》の一角にある煤《すす》けた廃ビルの周辺には、『正十字騎士團　KEEP OUT』の黄色い帯が張《は》り巡《めぐ》らされていた。人人が遠巻きに眺めている。

「一般の方は危険ですので下がってください！」

帯の前に立って野次馬を整理している男性の一人に、免許証と左胸に差した階級証を見せる。

「中二級の奥村です」

男性は雪男の若さに驚いたようだが、

「ご苦労さまです」

と敬礼し、中に入れてくれた。

現場はまだ、それほど人が揃《そろ》っていない。祓魔師《エクソシスト》は万年人手不足だ。

「――奥村くん、よかった。ずいぶん早かったね」

奥から初老の祓魔師《エクソシスト》が姿を見せる。雪男も顔見知りの中一級祓魔師《エクソシスト》だ。ベテランの詠唱騎士《アリア》ではあるが、いかんせん、高齢である。たしか、現役は退《しりぞ》いていたはずだが……。

「学校が近くだったんです。茂木《もぎ》さんが隊長ですか？」

「ああ、今日は朝から事件が多くてね。祓魔師《エクソシスト》の数が足《た》りないんだ。それで、こんな老体まで引っ張り出されてきたわけさ」

茂木は穏《おだ》やかな笑顔でそう言うと、一転して真面目《まじめ》な顔となり、現状をざっと説明した。

すでに取り寄せてあったビルの見取り図が、両者の間に開かれる。

悪魔に寄生された男が人質を取って、ビル内にたてこもっている。しかも、その人質というのが……。

「小学生の……少年ですか」

雪男がかすかに眉《まゆ》をひそめる。茂木も険しい顔でうなずいた。

「十一歳の子だ。――あそこに母親が来ている」

雪男が視線をやると、ビルの脇で泣《な》き崩《くず》れている母親の姿があった。アキラ、アキラ、と息子《むすこ》の名を呼んでいる。その隣で、十一歳よりもやや幼く見える少年が、怯《おび》えた顔で半ベソをかいている。自身も震えながら、それでも母の背中を撫《な》でようとしているのが健気《けなげ》だった。

「下校途中だったらしい。野外少年団のリーダーもやっているしっかりした子で、あの弟君を庇《かば》って、自分がつかまったそうだ」

「……そうですか」

一瞬、兄と自分の姿に重《かさ》なる。

幼い頃、兄はよくいじめっ子から自分を守ってくれた。

雪男はすぐにその感傷を振りはらった。現場において、無駄《むだ》な感傷は祓魔師《エクソシスト》の心を迷わせ、腕を鈍《にぶ》らせる。

雪男は冷酷《れいこく》ともとれる無表情で、茂木に尋《たず》ねた。

「他の祓魔師《エクソシスト》は、あと何分で？」

「騎士《ナイト》と詠唱騎士《アリア》が向かっているはずだが、運悪く、渋滞《じゅうたい》に巻きこまれたらしい……彼らの到着を待って、私と三人で踏みこむ。寄生された男性だけでなく、人質の子供も魔障《ましょう》を

受けているおそれがあるから、君は医工騎士《ドクター》として後方支援にまわってくれ」

茂木はそう指示した。

おそらく、雪男がまだ中学生であることに気をつかったのだろう。竜騎士《ドラグーン》として現場に突入すれば、それだけ危険が大きくなる。

しかし、雪男は先輩祓魔師《エクソシスト》の言葉に首を横に振った。

「――いえ。事態の収拾《しゅうしゅう》が早ければ早いほど、人質や寄生体の危険が少なくなります。まずは僕と茂木さんで突入しましょう」

「だが……」

戸惑《とまど》いを見せる老祓魔師《エクソシスト》の前で、雪男は背中のホルスターから二丁の拳銃を抜き、両手で構《かま》えた。両利《りょうき》きの彼は常《つね》に二丁の拳銃を背中に装備している。

雪男の両目がメガネ越しに茂木を捉《とら》える。

その両目は、十四歳の少年とは思えぬほど、冷ややかに落ち着きはらっていた。

「人命救助が第一です。現場に向かいましょう」

七

　ビル内はがらんとしていた。

　ジメジメと湿《しめ》っぽく、陰鬱《いんうつ》とした廃墟《はいきょ》はいかにも悪魔が好みそうだ。照明の壊れた薄暗い廊下に、うっすらとだが硫黄《いおう》の臭《にお》いが残っている。雪男は拳銃を両手に構《かま》えたまま、茂木の前を歩き、一路、奥にある階段へと向かった。

　ビルの見取り図はすでに頭に入っている。

「奥村くん？」

　雪男の真意を測《はか》りかねるように、茂木が背後から声をかける。

「一階の部屋を探らなくていいのかい？」

「ええ。おそらく、彼は屋上にいると思います」

　前を向いたまま、雪男が答える。

　このビルは他のビルと隣接しておらず、離れ小島のような立地だ。こちらとしては包囲しやすいが、当然、逃げ道はない。そこに人質を取ってたてこもるような真似《まね》をする程度の悪魔だ。あまり頭は良くないだろう。

そういった手合いは、上へ上へと逃げる傾向にあった。

電気が通っていないので、むろん、エレベーターは使えない。九階分の階段を上りきると、若い雪男はともかく茂木は肩で息をしていた。

雪男は彼に、自分が最初に悪魔と対峙《たいじ》するから、その間、この踊り場に隠れているように頼んだ。

「僕が悪魔の動きを抑《おさ》えたら、詠唱《えいしょう》で祓《はら》ってください」

「しかし、君一人じゃ……」

「僕は大丈夫です」

なおも渋《しぶ》る茂木に軽く笑ってみせ、雪男が屋上に続くドアを蹴《け》り破《やぶ》る。

案《あん》の定《じょう》、そこに悪魔の姿があった。周囲に大量の魍魎《コールタール》が群《むら》がっている。悪魔に寄生された男の両目がギョロリとこちらを向く。真っ黄色に濁《にご》った白目に、赤い血管が浮き出ている。

「クソ祓魔師《エクソシスト》のお出まし――と思いきや、コイツと変わらねえガキじゃねえか。ギャハハハハ……祓魔師《エクソシスト》はとんだ人手不足だな」

耳障《みみざわ》りな濁声《だみごえ》で、悪魔が下卑《げび》た笑いをもらす。

ベースは人間の男だが、耳が長く尖《とが》り、その上に獣《けもの》のような角《つの》が生《は》え、裂《さ》けた口元から長い舌がのぞいている。人質の少年をつかまえている腕は太く、か細《ぼそ》い子供の首など一瞬でへし折ってしまいそうだった。

　雪男は悪魔を無視し、青ざめた顔で必死に泣くのを堪《こら》えている少年に向け、穏《おだ》やかに微笑《ほほえ》みかけた。

「アキラくんだね？　僕の言うことをよく聞いて、慎重《しんちょう》に行動して——いいね？」

「……う……うっ……」

「大丈夫。君ならできるよ」

　雪男のやわらかな微笑に促《うなが》されるように、悪魔の腕の下で青ざめていた少年が、小さくうなずく。

「てめえ、シカトしてんじゃねえぞ……コラァ!!」

　自分を無視され苛立《いらだ》った悪魔が、少年の首をさらにきつく絞《し》め、地の底からわきあがるような怒声《どせい》を発した。悪魔の周囲に集まった魍魎《コールタール》が、一斉《いっせい》に飛び散る。

「なぁにが『慎重に行動して』だ？　てめー、この状況がわかってんのか!?」

　首を絞めあげられ、少年が苦しげに顔を歪《ゆが》める。

　雪男はそれにいきりたつような真似はせず、冷静に悪魔との距離を保《たも》った。

「偉そうなこと言いやがって……てめえが俺様を撃《う》ったら、このガキも道連れだぜ、

ヒャハハハハハ……どーやって助けんだよ？　ガキごと撃ち殺す気か？　そりゃ、いいぜ」

悪魔がバカにしたように嗤《わら》う。

そして、雪男の足元に視線をやると、

「そもそも、てめえ、足がブルってるじゃねえか、さっきから、コツコツコツコツ、うるせーんだよ……小便でももらしたのか？　さすが、ガキだな。ギャアハハハハッ……！」

ことさら下卑た笑い声を立てた。

「おめでたいな」雪男が抑揚《よくよう》のない声音《こわね》で告《つ》げる。「本気で、俺がお前を撃たないと思っているのか？」

「あア……？　なんだと……コラァ」

雪男が右手の銃口を悪魔の額《ひたい》に向ける。それを見て、悪魔の口元から下卑た笑《え》みが消える。獰猛《どうもう》さをむき出しにして、叫んだ。

「やってみろよ！　てめえが撃ったら、コイツに当たるんだぜ!?　このガキの脳天に真っ赤な風穴が開いて、脳漿《のうしょう》が飛び出るぜ？　てめえに撃てんのかよ!?　このクソ祓魔師《エクソシスト》が!!」

少年の首をギリギリと絞めあげながら、悪魔が雪男を挑発する。

雪男は銃口を悪魔の額から逸《そ》らし、そのまま片手を上げて、銃口を天に向けた。それを雪男の精一杯の強がりだと受け取り、悪魔がにやりと嗤《わら》った。

「ギャハハハハハ……どこ向けてんだ、このバカが……」

「さあて、バカはどっちかな」

「なんだと!?」

雪男の挑発にいきりたった悪魔が、片腕で少年の首を絞めつけたまま、躍《おど》りかかってくる。雪男は空に向けたまま拳銃を撃った。

鼓膜《こまく》を裂くような銃声とともに、銃弾が空に吸いこまれ——一面に光が満ちる。

「な……!」

突然の光に目がくらんだ悪魔の腕から力が抜けた隙《すき》に、少年がその場に屈《かが》みこむ。人質を失った悪魔の腕が宙をかく。

「! 畜生《ちくしよう》、このガキがっ!!」

雪男はその一瞬の勝機を逃《のが》さず、ガラ空《あ》きになった悪魔の右肩と左膝《ひだりひざ》に、今度は左手の銃で銃弾を撃ちこんだ。

聖なる銀でできた対・悪魔用の銃弾である。

悪魔が悲鳴を上げて、その場に倒れる。

雪男は床にしゃがんだまま頭を抱《かか》えている少年を抱きかかえると、背後に向け、

「茂木さん！」

と叫んだ。それに応《こた》えて、

「《……汝《なんじ》に問う　その黄金の秤《はかり》は水平に保たれているか》」

踊り場から姿を現した茂木が、よく通る声で詠唱を始める。

「ク……ソ祓魔師《エクソシスト》ども……が……」

「《怠惰《たいだ》に傾いてはいないか　憤怒《ふんぬ》、色欲《しきよく》、強欲《ごうよく》、嫉妬《しっと》、暴食、傲慢《ごうまん》のいずれかに傾いてはいないか》」

悪魔は幾度《いくど》となく暴れたが、聖銀の銃弾を二発も撃ちこまれていては、寄生体から自力《じりき》で離れることもままならない。

「《勤勉を、貞節《ていせつ》を、救恤《きゅうじゅつ》を、忍耐を、慈愛《じあい》を、節制を、謙譲《けんじょう》をもってその美徳とし　信仰の光にて　汝の闇《やみ》を討《う》ち祓《はら》わん》」

詠唱を終えた茂木が宙に聖なる十字を切る。

悪魔は絶叫とともに消滅し、意識を失った男がその場に崩《くず》れ落《お》ちる。その首筋《くびすじ》と口元に手をやり、息があることを確かめた茂木が、雪男に向けて力強くうなずいてみせる。

それに小さくうなずき返してから、雪男が少年に顔を向ける。少年はいまだに身を強張《こわば》らせ、両腕で頭を抱えている。

「よく頑張ったね。アキラくん。もう、大丈夫だよ」

「ひっ……ひっく……ひ……」

少年の目から大粒の涙が零《こぼ》れ、堰《せき》を切ったように泣きだした。今までずっと我慢していたのだろう。

雪男は少年の硬直してしまった腕を解《と》いて、そのボサボサの頭をやさしく撫《な》でてやった。養父のようにはできなかったけれど、この弟想いの勝気な少年を死なせずにすんだことに、心の底から安堵《あんど》していた。


「見事だったよ、奥村くん。祓魔師《エクソシスト》になって一年そこそこの——ましてや中学生とは、到底、信じられない」

少年の魔障《ましょう》を清め母親と弟のもとに戻した後で、茂木が労《ねぎら》いの言葉をかけてきた。

寄生体となった男は医工騎士《ドクター》の手で応急処置をされた後、正十字総合病院に搬送《はんそう》された。

今は、遅れて到着した二人とともに、事故現場の洗浄を行っているところだ。

「いえ、茂木さんの的確な詠唱のお陰《かげ》です」

礼儀正しく雪男が答える。茂木は苦笑し、首を横に振った。

「いやいや……さすがは、あの藤本《ふじもと》さんの秘蔵ッ子だ。皆が、君を天才だというのもわかるよ。――しかし、あの状態で、よくアキラくんに照明弾のことを伝えられたね。どんな魔法を使ったんだい？」

不思議そうに告げる初老の祓魔師《エクソシスト》に対し、雪男は少し笑って種明かしをした。

「トンツーですよ」

「トンツー？　ああ……モールス信号か」

さすがにすぐに理解したらしい茂木が、ポンと手を打つ。

雪男は靴《くつ》の裏で二種類の音を立てることで、人質になった少年にモールス信号を送っていたのだ。

――空が光ったら、その場にしゃがめ、と。

少年の目をじっと見つめて、自身の足元に視線を下ろす合図を、目で二回ほど送った。

聡《さと》い少年は、それで理解してくれたようだ。

「野外少年団ではこのモールス信号を勉強するんです。それで、咄嗟《とっさ》に思いついて……アキラくんが、それに気づいてくれて幸運でした」

「なるほど。しかし、あの短い間に、よく考えついたね」

茂木が感心しきりというようにうなる。

雪男は、大したことはないですよ、と両手を振ってみせた。メガネの縁《ふち》を軽く押し上げる。

「昔、兄と一緒に少し入っていたことがあるんです。それで、覚えていて……」

今思うと、養父は少しでも兄を普通に育てたかったのだろう。

結局、兄が問題を起こし、二人とも行かなくなったが、兄弟の間でトンツーが流行《はや》り、その後もしばらく使っていた。

――きょうのご飯なに?

――カレーだって。

そんな具合に、口にすればすむことでもいちいち机や食器を叩《たた》いて、養父に『うるせえ』と叱《しか》られた覚えがある。

「兄？　君はお兄さんがいるのか。お兄さんも祓魔師《エクソシスト》なのかい?」

邪気《じゃき》のない茂木の問いに、しゃべりすぎた、と後悔《こうかい》する。雪男は、いえ――と即座に、しかし口調が強くなりすぎないよう注意し、それを否定した。

「兄は普通の人間です」

自分の声が、ひどく遠いところで響《ひび》いているような気がした。

✝

——PM09:12

思いのほか、後処理や騎士團への報告に時間を取られてしまい、雪男が彼の暮らす南十字男子修道院の前に着いたのは、中学生としてはだいぶ遅い時刻だった。

團服はすでに学ランに着替えてある。屋内に入る前に、再度、硝煙《しょうえん》の匂《にお》いや硫黄臭《いおうくさ》さが残っていないかどうか確認する。

その時になって雪男は初めて、自分の右手が震えていることに気づいた。

（いまさら、不安が戻ってきたのか……）

あの少年を助けられなかったら、という恐怖。もし失敗したら、という惧《おそ》れ。

戦場に立っている時には、抑《おさ》えつけているそれらの感情が、たまにこうやって揺り返しのように戻ってくる。

まるで、闇《やみ》に怯《おび》えていたあの頃のように。

「…………」

雪男はメガネの奥の両目を細め、小刻《こきざ》みに震える自身の手を見つめた。それをもう片方の手できつく押さえつけ、修道院の中に入る。

朝の早い修道院は夜の消灯も早い。夕食はとうにすんでいるだろう。

あまり物音を立てないように自室に向かうと、自身のベッドにあおむけになって雑誌を読んでいた燐がひょいと顔を上げた。

「おう、遅かったな。雪男」

「——ただいま」

笑顔で雪男が答える。答えながら、
いつものような笑顔を上手《うま》く浮かべられているだろうか。

手の震えは止まっているだろうか。

内心の疑問を、不安を押し殺す。

雪男は兄の寝転がるベッドの脇《わき》を通って、自身の机に鞄《かばん》を置いた。必要以上に重たい金属器の音がし、ひやりとする。

しかし、兄は気づかなかったようだ。

二重になった鞄の底には、二丁の拳銃が隠してある。

「お前なあ――そのうち、鞄切れるぞ？　そんなもん詰《つ》めこんで」

「え……？」

兄の言葉に、再びドキッとするも、

「どうせ、クソ難しい参考書でいっぱいなんだろ？　俺の鞄と、とっかえてやろうか？　俺のはまともに教科書入れたことねーから、丈夫だぞ」

「ははは……兄さんのは兄さんので、落書きや食べカスで汚いから、遠慮するよ」

ほっと息を吐《は》く。

雪男は銃器の入った鞄を、できるだけ兄の視界から離し、机と壁の隙間《すきま》に押しこんだ。

兄は、雪男がこの時間まで、正十字学園町にある図書館で勉強していると思っている。偏差値の高い名門私立高校を受験するのに、塾に行く金銭的余裕がないことを、兄なりに気にしているのだろう。

しかし、本当は図書館などではなく、銃声の鳴《な》り響《ひび》く戦場にいると知ったら、兄はどんな顔をするだろうか。

そんなことを考えていた雪男の視線が、机の上でふと止まる。

「――?」

参考書の奥に、大きな皿が置いてある。

被《かぶ》せた布巾《ふきん》をめくってみると、そこには、かなり大ぶりのおにぎりが三つ、並んでいた。

「……これ、兄さんが作ってくれたの?」

「おー、うやまってへつらえよ」

「その言い方、神父《とう》さんにそっくりだよね」

「だっ、誰が、あんなクソジジイに……似てるわけねーだろっ!」

万年反抗期のような燐が、真っ赤な顔で怒る。雪男は苦笑《にがわら》いして、おにぎりの一つを手にした。まだほのかにあたたかい。

「ジジイじゃなくて、神父《とう》さんでしょ? 兄さんだって、昔はちゃんと『父さん』って呼んでたのに。――それから、これ、なんで三つも?」

いくら食べざかりの年齢とはいえ、この大きさで三つはさすがに多すぎる。

雪男の疑問に、燐はフフフと自慢げに笑った。なんとなく、嫌《いや》な予感がする。

「それはな、ルシアン・ローレットおにぎりなのだよ。明智《あけち》くん」

「ルシアン・ローレット……いや、それ、ロシアン・ルーレットだよね？　それに、明智くんって何？」

「細《こま》けーこと、気にすんな。ハゲるぞ。メガネ」

「いや、ハゲないから。つまり、この中に一個、外《はず》れがあるってこと？」

どうやら予感は的中したようだ。雪男は険《けわ》しい視線を自身の持っているおにぎりに向ける。

確率は三分の一か……。

「ちなみに、中身は？」

「タバスコだろ、あと、チョコレートと、苺大福《いちごだいふく》」

「いや、それって、一個も当たりがないんじゃ……」

銃倉《じゅうそう》にすべて実弾の入ったロシアン・ルーレットのようなものだ。そんなものを好き好んで試すバカはいない。

料理は、この兄の唯一《ゆいいつ》生産的な特技だというのに、余計な真似《まね》をしてくれるものだ。

雪男は手にしていた実弾――ならぬ、おにぎりをため息とともに、皿の上に戻した。

ところで、と話題を変える。

「明日のチャリティーコンサート、どうなったって？」

「ああ、あれな。やっぱり、俺らが手伝うみてー」

明日の土曜日、教会主催のチャリティーコンサートが行われる。いわゆる地域奉仕活動の一環で、売上は全額、恵まれない子供達に寄付される。

参加メンバーは、売り出し前のひよっこアイドルや、売れないフォークシンガー、アマチュアに毛が生《は》えた程度のジャズバンド——など、出演料の安さ第一に集められている。開催場所も、音楽ホールなどではなく、正十字学園町内にあるデパートの屋上だ。

会場の設置や飾り付けは業者を介《かい》さず、自分達で行う。

とにかく予算がギリギリなので、修道院のメンバーも幾人《いくにん》かゴスペル隊として出演するらしく、兄弟も応援に駆り出されそうな雲行きだった。

まあ、応援と言っても、ゴスペルに参加するわけではなく、あくまで裏方のスタッフとしてこき使われるだけだが……。

「せっかくの土曜だってのに、面倒くせー」

ベッドに再び寝転がりながら、燐が文句を垂《た》れる。雪男は、

「——まあまあ」

と兄をなだめた。

こういう時は、食べ物で釣るに限る。

「真面目《まじめ》に働いたら、晩ご飯を肉にしてくれるって、丸田《まるた》さんが言ってたよ？」

「まじでか!?　スキヤキ!?」

ガバッと身を起こした燐が、喜びに目を光らせる。あまりの効果に、逆に雪男が半歩ほど引いてしまう。

「いや、スキヤキかどうかは知らないけど……」

「よっしゃー！　頑張るぞぉー!!　肉ー！　おー、雪男、お前も頑張れよ！　サボったら承知しねーぞ」

現金なもので、俄然《がぜん》はりきり始める。闇夜《やみよ》に遠吠《とおぼ》えする犬のように叫んでいる。そんな兄の姿に、雪男は再び小さくため息を吐《つ》いた。

（騎士團の出動要請が入らなければいいけど……）

と密《ひそ》かに案じる。

常《つね》に気苦労の絶《た》えぬ十四歳だった。

✝

「デパートの屋上って、ここだったのか……」

雲一つない青々とした空の下、屋上に設置されたイベント会場を見つめながら、雪男がつぶやく。

学生服ではなく、白いカーディガンの上にブレザーを羽織《はお》っている。二月の終わりとはいえ、驚くほど暖かく、コートなしでも充分だった。

隣でダンボールを運んでいる燐も、パーカーにジャケットという軽装だ。

この陽気なら客足も伸びるだろう。どうにか赤字だけは避けられそうだ。修道院の経済状況が決して好ましくないことを知っている雪男は、そこにまずほっとした。

「ねえ、兄さん。昔、神父《とう》さんに、ここに連れてきてもらったの、覚えてる？」

受付の机を組み立てながら尋《たず》ねる雪男に、燐がダンボール箱を開封しながら、おう、と応じる。

「ブルー・ソルジャーのショーだろ？　懐《なつ》かしーよな」

ブルー・ソルジャーというのは今から十年近く昔、日曜の朝方に放映されていた子供向け特撮ヒーローものだ。

地味でぱっとしない高校生の少年・碧《あおい》が、実は地球の命運を担《にな》い、正体不明のヒーローとして悪の組織と戦う——というベタな内容だったが、幼い二人は、様々な必殺技《わざ》を駆使

し果敢《かかん》に悪役怪人と戦う若き主人公に憧《あこが》れた。

新聞紙や厚紙で剣を作ったり、青い布を首に巻いたりして、ブルー・ソルジャーごっこをした。二人ともヒーロー役をやりたいので、たいてい、養父の獅郎《しろう》が怪人役をやらされていたが、これが実に上手《うま》く、登場時の笑い方など本物の怪人かと思うほど怪《あや》しさ満点だった。

もっとも、

『ぐっ……や、やられたぁ……』

そう言って苦しげに倒れた後、がばっと起きあがり、

『フハハハ、バカめ！　俺がお前らごときの攻撃で倒れるか！』

と逆襲してくるので油断ならず、その後、兄弟は獅郎のくすぐり攻撃を受け、転げまわって笑った。

ある日、そのショーが行われるというので、忙しい養父に頼みこんで、この屋上に連れてきてもらった記憶がある。

出がけにいろいろあって到着は開演ギリギリだった。会場は彼らのような子供連れで混雑し、背の低い二人からは、舞台がまったく見えなかった。

しょんぼりした雪男がベソをかき、燐が、

『だから、早く行こうっていったんだ！　父さんがのろのろしてるからっ！』

同じく半ベソの顔で抗議する。

『悪《わり》ィ、悪ィ。そう怒るなよ』

獅郎はそう言って笑いながら、ひょいと二人を両肩に乗せてくれた。

『な？　これで見えるだろう』

幼いとはいえ二人の子供を持ち上げて、養父は涼しい顔をしていた。

視界がぐんと高くなって、舞台の上のヒーローがよく見えた。燐が『すげー』と歓声《かんせい》を上げる。雪男も泣きやんで、獅郎の首にかじりついた。

ヒーローショー自体の記憶はあまりなく、自分達を支《ささ》えてくれる養父の腕が、ひどくあたたかかったことを今でも覚えている。

「あれさ、今でもやってるらしいぞ」

「ショーが？」

「いや、ショーは知らねーけど、テレビで」

なにせ、十年も昔の番組である。雪男が首を傾《かし》げると、燐がダンボールの中から取り出した飾りを、雪男の組み立てた机に適当に貼《は》り付《つ》けながら答えた。

「今流行《はや》りのふっこー版って奴《やつ》だろ」

「それを言うなら、復刻版《ふっこくばん》ね」

あまりにセンスのない兄の飾り付けに、替わるよ、と言って雪男がダンボールを受け取る。この折り紙やモールでできた色鮮《あざ》やかな七夕《たなばた》飾りもどきは、教会に通う子供達の手で作られたものだ。ところどころ歪《いびつ》で、時おり、手に乾きってていないのりが付いたりもする。

けれど、どれも一生懸命に作られたのが伝わってきて、微笑《ほほえ》ましい。

「相変《あいか》わらず、細《こま》けーメガネだな。ハゲるぞ」

「だから、ハゲないって。でも、復刻版って、もっと時間が経《た》ってからやるものだと思ってたよ」

よっぽど他に企画がなかったのだろうな、と穿《うが》った見方をする雪男に対し、

「ブルー・ソルジャーは、かっけーからな」

と、燐。

「こーんな長い剣でさ、ばったばったと怪人をやっつけるんだぜ？　すかっとするよなぁ……」

手元にあった手作りのパンフレットを丸め、剣のようにして振りまわす。雪男は、しわになる、と言って、兄の手からパンフレットを取り上げた。

机の上でパンフレットのしわを伸ばす雪男の横で、燐がボソッと言った。

「……ブルー・ソルジャーはきっと、仲間にたくさん囲《かこ》まれて、女にもモッテモテなんだろうな」

「？　どうしたの？　急に」

パンフレットから顔を上げて雪男が尋《たず》ねる。さびしそうな、いっそやるせなさそうにも聞こえる口振りが、陽気な兄の性格とそぐわない気がした。

「兄さん？」

雪男がその顔をのぞきこもうとすると、燐はすぐにいつもの調子に戻って笑った。

「いや、別に、なんでもねー」

「オーイ、燐。こっちの音響運ぶの手伝ってくれねーか？　重いんだわ、これ」

ちょうど、舞台裏へ機材を運び入れていた顔なじみの修道士が、大声で彼を呼んだので、燐は、

「おー、今、行く」

と、そちらへ駆けていってしまった。

一人残された雪男はしばらくその背中を見つめていたが、やがて視線を戻し、整《ととの》え終わったパンフレットを受付の端《はし》に並べて置いた。

――仲間にたくさん囲まれて、女にもモッテモテなんだろうな。

ボソリと告《つ》げた兄の言葉が、耳元で谺《こだま》する。

本当に、そうだろうか？

正体を隠すヒーローもののお約束で、碧はブルー・ソルジャーであることを周囲に知られてはいけない。家族や、幼なじみの恋人にも。知られてしまったら、二度とヒーローに変身できないというジレンマと戦いながら、日々、孤独に闘っている。

普段の彼は冴《さ》えない高校生で、怪人を退治し地球の平和を守るブルー・ソルジャーではない。

乖離《かいり》する二つの自我。どちらでもあって、どちらでもない。

その心根《こころね》はあまりにも孤独で、寄《よ》る辺《べ》ないように思えた。

改めて自分の内部を見つめてみた時、そこには何も――何一つない。

案外、ヒーローなんてものは皆、孤独なのかもしれない。

――と、そこまで考えたところで、そんな自分に苦笑《にがわら》いする。我ながらあまりにも老《ふ》けこみすぎだ。

さすがに中学生にもなって、幼い頃のようにヒーローに憧《あこが》れるのはどうかと思うが、実在もしないヒーローの内面まで慮《おもんぱか》り、自分の身の上と重《かさ》ね合《あ》わせるなんて、どうかしている。

雪男はダンボールから釣り銭用の小銭を取り出し、箱に分け入れた。

舞台の袖《そで》では、燐が「スキヤキ、スキヤキ♪」と口ずさみながら、自分の身《み》の丈《たけ》近くある音響機器を軽々と運び入れていた。

✝

「それでは、ご来場の皆さま、この南十字デパートにて、チャリティーコンサートをゆっくりとお楽しみください」

司会者の声に、拍手と歓声《かんせい》が上がる。

まるで一足先に春が来たような陽気も手伝って、客入りもよく盛況だった。

雪男は受付でチケット売りやパンフレット配りをし、うさぎの着ぐるみを着た燐は、募金箱を首から下げ、子供達に風船を配っている。

普段であれば、おとなしく着ぐるみなど着る兄ではないが、頑張れば夕飯《ゆうはん》が肉という殺し文句が効《き》いている。いかにも生意気《なまいき》そうな子供から、「おまえ、うさぎだろ？　ぴょんぴょんはねろよ」と言われた時でさえ、陰《かげ》でその坊主頭をボカッと殴《なぐ》るだけですませている。普段の彼では考えられない忍耐力だ。

その後も、客足は途絶《とだ》えない。南十字修道院有志によるゴスペルが流れるなか、雪男は客席に目を配った。

（椅子《いす》が足《た》りないな……）

不測の事態に備《そな》えて、パイプ椅子を二十個ほど持ってきてある。

「兄さん……ちょっと」

うさぎの着ぐるみ姿であくびをかみ殺している兄を、小声で呼び寄せ、

「後ろに積んであるパイプ椅子を十個くらい、客席の後ろに並べてくれない？」

と頼む。

「えー、この格好でかよ？」

手が動かしにくいんだよ、てか、ぶっちゃけ動きにくい、とぼやく彼に、

「僕は受付があるから」

と両手を合わせてみせる。

「俺が受付やるから、お前やれ」

「どっちみち、その手じゃお金握《にぎ》れないでしょ？　その前に、兄さん、釣り銭の計算できるの？」

「兄貴をバカにすんな。それぐらいできるね」

「じゃあ、一二五〇円引く七五〇円は？」

「…………さ、さんびゃくえん？」

「五〇〇円だよ」

最終的に、『今夜はスキヤキ（……かもしれない）』の謳《うた》い文句に釣られ、うさぎさんの格好をしたままの燐が、パイプ椅子を並べ始める。

舞台は聖歌隊のゴスペルから、売れないフォークシンガーのそれに替わっている。緩《ゆる》やかなメロディーは、青春の青臭《あおくさ》い切なさを歌っていた。

客達はデパートの屋上という場所柄《ばしょがら》からか、やはり家族連れが多いが、高校生のカップルや、若い女性どうし、大学生のグループなど様々だ。なかには、子供どうしで来ている小学生や、仲睦《なかむつ》まじい老夫婦の姿もある。

ほんの暇つぶし程度かもしれないが、皆、それぞれ楽しそうな顔で舞台を見ている。

（平和だな……）

お陰さまで、ブレザーの内ポケットにしまった携帯電話は、ピクリともしない。このまま、コンサートが終わるまで上手《うま》く呼び出しがかからなければいいが。

受付の椅子の上で、雪男がほっとため息を吐《つ》く。

そのうち、日ごろの睡眠不足が祟《たた》り、凄《すさ》まじい眠気が襲《おそ》ってきた。兄や皆に悪いとは思いつつ、うとうとし始める。

――と、

「!?」

不意に、悪寒《おかん》のようなものが背筋《せすじ》を走った。どこからともなく硫黄《いおう》の臭《にお》いが漂い、あたりに充満している。

慌《あわ》てて周囲を見まわす。

客達は皆、楽しそうにフォークシンガーの歌を聞いている。平和そのものといった光景だ。しかし、祓魔師《エクソシスト》である雪男の両目は、客席や舞台に群《むら》がる大量の魍魎《コールタール》の姿を捉《とら》えた。

まるで、黒い霧だ。

(いつの間に、しかも……この数は?)

あまりの数に、屋上一帯が黒ずんで見えるほどだ。

顔のまわりに飛《と》び交《か》う魍魎《コールタール》を、不自然にならぬよう片手で追い払いながら、雪男は悪寒の原因を探る。

すると、舞台に行き当たった。袖《そで》のところに、見覚えのないバンドの姿が見える。

華美な化粧を施《ほどこ》した男性三人が、黒ずくめの衣装で、ギターやベースを持っている。いかにもヴィジュアル系のロックバンドといったいでたちだ。

しかし――。

即座に、雪男は手元のパンフレットに目を走らせる。

それらしいバンドの名前はない。

「倉橋《くらはし》さん、今日のコンサートに、ヴィジュアル系のバンドは参加してますか？　例《たと》えば、急遽《きゅうきょ》出られなくなったグループの代役とかで……」

隣に座っているボランティアスタッフに尋《たず》ねる。小太りの年配の男性で、毎朝、教会の礼拝に通ってくるため、雪男とも顔見知りである。

「ビジュ……？」

倉橋は太い首を軽くひねった後、それを左右に振った。

「いや、今回、そういった今どきのグループは参加してないよ。あくまで家族向けのチャリティーコンサートだしね」

やはり、そうだ。

「それに、ここのデパート自体が、そういうのを嫌《いや》がるんじゃないかな。明日とかは、親子向けのヒーローショーをやるみたいだし。ほら、昔やってた『ブルー・ソルジャー』。さっき、楽屋であれの衣装を目にしてね。いやあ……懐《なつ》かしかったなぁ」

話好きの倉橋が聞かれもしないことをしゃべり始める。それを曖昧《あいまい》に流しつつ、再び舞台の袖に目をやる。

十中八九、彼らが、このおびただしい数の魍魎《コールタール》と、禍々《まがまが》しい臭気《しゅうき》の出どころだ。

目を凝《こ》らし、三人を観察する。ベースとギターの男性は、外見上、特に問題はない。唇《くちびる》が黒く、目元に深い隈《くま》があるが、あれはメイクの一種だろう。しかし、リーダーらしいボーカルの男性の様相は、明らかに人間離れしていた。

耳が大きく尖《とが》り、血走った両目は暗く光り、耳まで裂《さ》けた口元からは、蛇《へび》のように長い舌がのぞいている。舌は先が二つに裂け、血で濡《ぬ》れたように赤い。

(間違いない。悪魔に寄生されてる……)

まずいな、と内心舌打ちする。

屋上には、スタッフと観客合わせて百人からの人間がいる。

悪魔が何の目的でこのコンサートに混入したかは不明だが、その目的いかんによっては、大混乱に陥《おちい》る可能性もある。

なにより問題なのは、悪魔の目的が兄だった場合だ。

魔神《サタン》の落胤《らくいん》である燐は、覚醒《かくせい》こそしていないものの、一度覚醒してしまえば、あらゆる者にあらゆる目的で狙《ねら》われる立場にいる。

雪男は内心の動揺を押し隠し、さりげなく席を立った。

「――すみません、倉橋さん。ちょっとトイレに行ってきますので、受付をお願いします」

「ああ、いいよ。もうお客さんも来ないようだし、ゆっくり行っておいで」

笑顔で告《つ》げる倉橋に礼を言って、その場を離れ、屋内に通じる出入り口に向かう。

まずは、避難経路の確保だ。

しかし、雪男が両開きのガラス戸に触れようとした途端、指先に鋭い痛みが走った。見ると、爪《つめ》が割れ、肌《はだ》が火《ひ》膨《ぶく》れのようになっている。魔障《ましょう》を受けたように、じくじくと痛む。

「結界《けっかい》か――」

しかも、簡単に破れる類《たぐい》のものではない。あくまで、自分達を逃がさぬつもりなのだ。

ブレザーの内ポケットから携帯を取り出し、騎士團に連絡を入れようとするも、繋《つな》がらない。電波が遮断《しゃだん》されている。

完全に孤立状態だ。

「くそ……」

珍しく、雪男が苛立《いらだ》ちを露《あら》わにする。騎士團や獅郎に連絡が取れない今、自分一人で、兄や皆を守りきれるだろうか？

その時、背後の会場から、観客のどよめきが起こった。

「!?」

慌てて振り返った雪男の視界に、舞台に上がった例のバンドの姿が――。

悪魔に寄生された男が、節《ふし》くれだった長い指でマイクを手にする。

「怠惰《たいだ》な安寧《あんねい》を享受《きょうじゅ》し、醜《みにく》く肥《こ》え太る愚《おろ》かなる人間どもよ」

低くくぐもった声に、マイクがハウリングし、耳障《みみざわ》りな音をもらす。それが徐々に耐《た》えがたいものへと変化していく。

「何だこれ？」

「ちょ……マイクの音、大きくない？」

「嫌……耳が、痛っ――」

たまらず、客達が耳を覆《おお》う。なかには席を立ちかける者さえいた。

そんな観衆の様子を、悪魔が愉《たの》しげに見やる。そして、再び、重苦しい声音《こわね》で告げた。

「今から、貴様らを我らが楽園に連れていってやろう」

男の顔に青筋《あおすじ》が浮き出、両目が今にも零《こぼ》れ落《お》ちそうに見開かれる。

「――虚無界《ゲヘナ》へな」

男がねっとりとからみつくような笑《え》みをもらす。

それを合図に、他のメンバーが演奏を始める。頭蓋骨《ずがいこつ》に直接響《ひび》くような重低音に、受付の脇《わき》の椅子にくくりつけてあった風船が、一斉《いっせい》に破裂する。

驚いた客やスタッフから、まばらな悲鳴がもれる。

直後、舞台の照明が破裂し、色とりどりのガラスの破片が周囲に飛び散った。客席に場違いなほど綺麗《きれい》なガラスの雨が降《ふ》り注《そそ》ぐ。

それが、悪夢の幕開けだった。

✝

「てめえは、前から気に入らなかったんだよ。スカした顔しやがって」

「ああ……ん？　それは、こっちの台詞《せりふ》だ。このバカが」

「うぜえんだよ、てめえ、死ねっ」

「てめえが死ね、このクソが」
「なんだと、この――」

それまで仲良く笑い合っていた大学生のグループが互いに殴《なぐ》り合《あ》いを始めると、周囲の客達は悲鳴を上げて席を立った。しかし、止めに入ろうとした男達が、今度は互いに殴り合いを始め……それが、連鎖《れんさ》反応のように広がっていく。

終《しま》いには、互いに殴り合うだけでは飽《あ》き足《た》らず、そこらじゅうの物を叩《たた》き壊《こわ》してまわる者すら現れた。

照明器具が倒され、長椅子《ながいす》が壊され、舞台の飾りが引きちぎられる。

会場はあっという間に混乱の渦《うず》となった。

いつしか、バンドのギタリストやベーシストまでも、楽器を放り出し、乱闘に加わっている。

しかし、弾《ひ》き手《て》がいなくなったにもかかわらず、男は歌い続けている。その陰鬱《いんうつ》な旋律《せんりつ》が、周囲を埋《う》め尽《つ》くす魍魎《コールタール》で薄暗くなった会場内に響《ひび》きわたる。まるで何十、何百もの声《こわ》音《ね》が、一斉《いっせい》にうめいているような、そんな歌声だった。

（この大人数が、一気に悪魔に寄生されるなんて……ありえない）

何か、別のからくりがあるのだ。だが、それが何かわからない。

戸惑《とまど》う雪男の前に、大きな人影が立つ。

「……倉橋さん?」

「………」

先ほどまで受付でともに座っていたボランティアの男性だ。

目つきがおかしい——と思った途端、彼は無言で、雪男に向けてパイプ椅子を振り下ろしてきた。重たい音が宙にうなる。

「くっ……!」

すんでのところで直撃を避け、その鳩尾《みぞおち》に肘鉄《ひじてつ》を喰《く》らわせる。急所を的確に狙《ねら》った一撃に、倉橋の巨体が沈む。それきり起きあがってこない。

呆気《あっけ》なさすぎる、と思った。

仮に、彼に悪魔が寄生していたなら、この程度の攻撃で昏倒《こんとう》してしまうようなことは、まずないだろう。

暴れまわっている観客達の姿を見ても、悪魔に寄生されているというよりは、重度の麻薬中毒者のような様相だ。乱闘や破壊活動を愉《たの》しんでいるのではなく、何かに操《あやつ》られているように見える。

いったい、何に……そこで、雪男がはっとする。今もこの会場に響いている歌声。

「音で人を惑《まど》わす悪魔か……」

あの不快な歌が皆の正気を失わせ、破壊行動に向かわせているのだ。

音楽で人を混乱させ悪事を成《な》す悪魔は、古今東西《ここんとうざい》、広く存在する。もっとも知られているところでいえば、美しい歌声で航海中の人々を惑わし、その船を沈めるセイレーンなどがそうだ。

（たしか、心が清い者や、強靭《きょうじん》な精神力を持った者などは、惑わされにくいはずだ……）

冷静に周囲を見まわしてみると、少数ではあるが、己《おのれ》を保《たも》っている者達もいる。そういった者は、幼い子供や年寄りに多く、阿鼻叫喚《あびきょうかん》の地獄と化した会場内で、逃げることもできず、怯《おび》えきっている。

「怖《こわ》いよう……おじいちゃん、怖いよう……」

「大丈夫、大丈夫だよ——」

泣き叫ぶ幼い孫を抱きかかえ、必死にあやしている老人に、暴徒の一人が襲《おそ》いかかる。

身体《からだ》の大きな中年の男で、その手には折られた照明用のスタンドが握《にぎ》られている。

いけない、と雪男が地面を蹴《け》る。

しかし、次の瞬間、それを止めた。

雪男の視界に、老人と子供を庇《かば》い、勢いよく暴徒を殴りつけるうさぎの着ぐるみの姿が映ったからだ。

「無抵抗のガキや老人に、殴りかかってんじゃねーよ」

燐である。

「なんだかわかんねーけど、暴れんなら、相手になんぞ」

そのまま、暴徒と化した観客達に向き合い、次から次へと殴りつけていく。愛らしいはずのうさぎの着ぐるみが、心なしか凶悪に見える。

降魔剣《こうまけん》――倶利加羅《クリカラ》によって炎《ちから》が抑《おさ》えられているため、兄に魍魎《コールタール》や悪魔の姿は見えていないはずだ。悪魔のほうでも、特に燐を狙って……という感じではない。

(どうやら、兄さんが目的じゃないみたいだな)

その点に限ってはほっとするも、事態は何一つ好転していない。

雪男は視線を、暴れまわる兄から、舞台へと向けた。

鼓膜《こまく》を介《かい》さず、直接脳内に流れこんでくるメロディが、自分の心の奥にひそむ暗い感情を引きずり出そうと蠢《うごめ》いているのがわかる。

雪男は強く頭を振って、それを払《はら》い除《の》けた。

ボーカルの男に寄生している悪魔さえ祓《はら》って、この歌を止めれば、皆は元に戻るはずだ。

受付に駆け寄り、下に置いてある自身のスポーツバッグを取り出す。万一の時のために、拳銃や弾薬、薬品の類《たぐい》は携帯している。だが――。

祓魔師《エクソシスト》は基本的に一人では闘えない。互いの特性を活《い》かし、欠点を補い、二人以上の班《パーティ》を組んで行動する。昨日《きのう》の、雪男と茂木のように。

そして、この場には雪男一人しかいない。結界《けっかい》に閉じこめられている以上、救援は望めまい。

なにより、兄の目がある以上、祓魔師《エクソシスト》として行動するのはまずい。驚いた兄は必ず納得《なっとく》のいく説明を求めてくるだろう。悪魔の存在を知らせることは、兄の覚醒を誘発してしまうかもしれない。

そうなれば、兄はもう人としては暮らせない。

それどころか、騎士團の手で始末されてしまうかもしれない。

兄に自分がやったとわからぬように、事態を収拾《しゅうしゅう》する必要がある。しかも、迅速《じんそく》に。

だが、どうやって――？

祓魔師《エクソシスト》としての姿を曝《さら》せないジレンマに、頭を抱《かか》える雪男。その間にも、会場の混乱はひどくなっていく。ところどころで、子供の泣き声も聞こえる。

（くそっ……どうしたら）

自分の決断力のなさが、歯痒《はがゆ》くてならない。こんな場合、養父《ちち》なら——獅郎なら、どうしただろうか。

その時、不意に、昔の光景が頭に蘇《よみがえ》ってきた。養父の肩に乗って見た、ヒーローショー。誰にもその正体を知られることのない、孤高のヒーロー。

——明日とかは、親子向けのヒーローショーをやるみたいだし。ほら、昔やってた『ブルー・ソルジャー』。さっき、楽屋で……

先ほど、倉橋と交《か》わした会話が脳裏《のうり》をよぎる。そこに一筋《ひとすじ》の光明《こうみょう》が見えた。

(そうだ——!)

雪男はバッグを抱えると、混乱を避けるよう気配を殺して、舞台の脇《わき》にある楽屋へ向かった。運よく、数人と乱闘中の兄は、それに気づいていない。

分厚《ぶあつ》い布でできた暗幕をくぐって楽屋に入ると、隅《すみ》のほうでデパート側のスタッフが二人、抱き合うようにしてガタガタ震えていた。二人とも若い女性で、雪男の険《けわ》しい表情を見て、びくっと竦《すく》みあがった。両目に涙が溜《た》まっている。

「こ、こっちに……来ないで……お願、い……」

「落ち着いてください。この暴動は悪魔によるものです。僕は、それを収めるために来ました」

雪男は二人を怖がらせないようできるかぎり穏《おだ》やかな笑顔を作り、両手を上げてみせた。

「正十字騎士團の中二級祓魔師《エクソシスト》です」

「エ……エクソ……シスト？」

「はい」

雪男のやわらかい物腰に、女性達の警戒心が徐々に和《やわ》らいでいく。

雪男はブレザーから、免許証と階級証を取り出し、彼女達に見えるように掲《かか》げた。それに、ようやく安堵《あんど》したように二人が肩の力を抜く。雪男はそれを確認してから、やや早口に尋《たず》ねた。

「明日のショーで使う予定の、ブルー・ソルジャーの衣装があると聞きました。どこですか？」

「え……？　そ、それなら……そこのドレッサーに……？」

女性の一人がまだ震えの止まらぬ指で、雪男の入ってきた出入り口の脇を指《さ》す。移動可能な簡易《かんい》ドレッサーの中に、確かに、ブルー・ソルジャーの衣装がある。

もともと、中身は高校生が入っているという設定なので、着るのに大きすぎるということもない。なにより、雪男は中学生にしては背が高いほうで、スーツの丈《たけ》が余る心配もなかった。

口元にボイスチェンジャーが付いているため、誰がしゃべってもブルー・ソルジャー本人（?）の声になるというのも、この状況では好都合《こうつごう》だった。声から雪男だと兄に気づかれる心配もない。

だが――。

（これを着るのか……）

ぴったりとしたシリコン製の全身スーツである。

ヒーローに憧《あこが》れていた子供の頃ならともかく、この年でこれを着るのはきつい。できるなら着たくない。平常時であれば、全力で着たくない。

しかしながら、今は非常時だ。

ハンガーから衣装を抜き取り、二人のスタッフに告《つ》げる。

「申《もう》し訳《わけ》ありませんが、この衣装をお借りします」

「は……?」

「わけあって、身分を隠す必要があるんです」

唐突《とうとつ》な雪男の申し出に、二人の女性が恐怖も忘れ、わけがわからないという顔になる。

当然だ。

「ご心配なく、ちゃんとお返しします」

さわやかな笑顔で雪男がすべてをうやむやにし、話を続ける。

「それから、明日のショーで使う煙幕などの類《たぐい》はありませんか？」

「あ……特殊効果用のスモークだったら、用意がありますけど」

たしか、舞台の下にそれ用の機材がすでに設置されていたはずだ。昼間、会場の準備の際に見た覚えがある。おそらく、客席に向けて焚《た》き、舞台を一時的に見せないようにする仕組みだろう。

「それを、今、使うことは可能ですか？」

「え……どうだろう？　あなた、操作できる？」

「はい――でも、すぐに使えるかどうかは」

女性のうち、年下と思えるほうが、自信なさげに答える。「機材が壊れてたらアウトだし……やってはみるけど」

頼りない希望だが、今はそれでもないよりマシだ。

雪男は彼女に向け、お願いします、とうなずいてみせた。

「スモークが出せるようになったら、すぐに発生させてください」

「は、はい」

スタッフの女性が気圧《けお》されたように頭を下げる。

とりあえず、準備はすんだ。

あとは、自分がどこまでブルー・ソルジャーになりきれるかだけだ。いや、どこまで自分を捨てきれるかか……。

雪男は苦行《くぎょう》に臨《のぞ》む修行僧《しゅぎょうそう》のような面持《おもも》ちで、ブルー・ソルジャーの衣装を利《き》き手《て》にぎゅっと握りしめた。

✝

舞台に上がると、客席の混乱がさらによく見わたせた。

照明器具のガラスが散らばった舞台で、悪魔に寄生された男が、互いに傷つけ合う人々の姿に、恍惚《こうこつ》とした笑顔を浮かべている。

雪男はからみついてくるその歌声を払うように、悪魔の斜め後ろに立った。

『――そこまでだ』

と告《つ》げる。ボイスチェンジャーで変化した声音《こわね》は、昔、聞いたブルー・ソルジャーそのものだった。

振り返った悪魔が、不愉快そうに眉《まゆ》をひそめる。

「なんだ……貴様は」

『僕のことはどうでもいい。今すぐ、皆を元に戻せ』

「いきなり出てきて、どこまでも無粋《ぶすい》な輩《やから》だな」

雪男に向けて言葉を発しているにもかかわらず、歌声は止まらない。

それもそのはず、その全身には無数の口が浮かびあがり、それぞれに陰鬱《いんうつ》な歌を歌っている。どうりで、一つの歌声に聞こえないはずだ。

悪魔が物憂《ものう》げに細めた両目で雪男を見やる。

そこで、雪男の右手に握《にぎ》られた漆黒《しっこく》の拳銃に目を留める。その銃身に刻《きざ》まれた梵字《ぼんじ》に、忌々《いまいま》しそうに顔を歪《ゆが》めた。

「なるほど……祓魔師《エクソシスト》か……鬱陶《うっとう》しいヴァチカンの狗《いぬ》どもが」

自身の足元に唾《つば》を吐《は》き捨《す》てると、雪男に向け絶叫した。

「!!!」

鼓膜《こまく》が破れるほどの衝撃《しょうげき》の後、まるで音が刃物のように実体を成《な》し、雪男に襲《おそ》いかかってくる。

それを横に跳《と》んで避け、舞台に片膝《かたひざ》をついた雪男が、銃口を悪魔に向ける。

『今すぐ、その歌をやめろ』

「私に命令する気か？」悪魔は涎《よだれ》の垂《た》れた口元を歪めて嗤《わら》った。「だが、貴様はそれを撃《う》つことはできない」

『試してみるか？』

仮面の下で浅く笑い、雪男が引き金にかけた指に力をこめる。悪魔は余裕の体《てい》を崩《くず》さず、左胸に手を当ててみせた。

「この人間は心臓に病《やまい》を抱《かか》えている……そのせいで思うままに音楽に没頭することができず、己《おのれ》の夢を叶《かな》えられず燻《くすぶ》り、腐《くさ》っていた……その心の闇《やみ》が私を引き寄せたんだ」

『……な』

「銃弾など受ければ、その場で死ぬぞ」

わずかにたじろいだ雪男に、悪魔がにたにたと嗤う。真っ白に塗《ぬ》られた唇《くちびる》から、深紅《しんく》の舌がのぞく。

「お前ら偽善者《エクソシスト》は、この仔羊《こひつじ》を見捨てられまい」

雪男が構《かま》えた拳銃を撃てずにいるのを見、悪魔が先ほどの絶叫を再び向けてくる。

『くそっ……！』

降《ふ》り注《そそ》ぐ音の刃《やいば》を避けながら、雪男が必死に頭を巡《めぐ》らせる。

（考えろ……考えろ）

むろん、すべてが悪魔の吐《つ》いた嘘《うそ》ということも考えられる。古《いにしえ》の昔より、悪魔は巧妙な嘘を吐き、幾度《いくど》も人類を惑《まど》わせてきた。

しかし、それが真実である可能性がゼロでない以上、安易《あんい》に寄生体の肉体を傷つけるわけにはいかない。

ここは、定石《じょうせき》通り、寄生体の内部から悪魔を引きずり出すしかない。その直後、物質界《アッシャー》での依《よ》り代《しろ》を失った悪魔本体に聖銀《せいぎん》を撃ちこめば、終わりだ。この方法であれば、寄生体の身体《からだ》を傷つけずにすむ。

だが、雪男は詠唱騎士《アリア》ではなく、ここに他の祓魔師《エクソシスト》はいない。悪魔を引きずり出す——その手立てがないのだ。

しかも、この悪魔は昨日《きのう》の悪魔よりも頭が良い。空砲を撃ちこんだくらいでは、騙《だま》されないだろう。

（くそ……どうすれば……！　そうだ——!!）

音の刃を避けつつ、雪男が腰に下げた替えの銃弾入れに左手を伸ばす。手に取ったそれを、ほとんど手さぐり状態で装塡《そうてん》した直後、凄《すさ》まじい衝撃波《しょうげきは》が全身を覆《おお》った。その場に倒れかけ……どうにか持ちこたえる。

「袋の鼠《ねずみ》とは、まさにこのことだな」

悪魔がわざとらしい哀《あわ》れみの声を作る。

いつしか、舞台の隅《すみ》に追いつめられていた。刃の一つがかすったらしく左腕から血が滴《したた》っている。

「どうした？　もう終わりか？」

悪魔が一歩、また一歩と近づいてくる。

（そうだ……もっと近づけ）

雪男が悪魔の接近を望みつつ、表向きは万事休すという体をなしていると、客席から飛んできた空《あ》き缶《かん》が、悪魔の後頭部を直撃した。

「ブ……ブルー・ソルジャーがんばって……っ!!!」

暴徒に囲《かこ》まれ、祖父とともに震えていた子供が、真っ赤な顔で泣きながら叫んでいる。

さっき兄が助けた子供だ。

その声に、客席の中央でギタリストの男をのしていた燐が、顔を上げる。

「え……ブルー・ソルジャー……？」

一瞬だけ、兄と視線が合った。

何の因果《いんが》であろうか、片やうさぎの着ぐるみ、片や全身スーツといういでたちである。

幸運にも兄はそれが双子《ふたご》の弟だとは気づいていないらしく、ヒーローを目にした衝撃に顎《あご》がはずれそうなほど驚いている。

「……鬱陶しい蛆虫《うじむし》どもが」

舞台に転がった空き缶を見つめていた悪魔が、片足でそれを踏みつぶす。そして、今度は客席に向けて音の刃を放《はな》とうとする。

「せめて苦痛と恐怖の甘美な叫びを上げ、朽《く》ち果《は》てろ」

『やめろっ!!』

雪男がその背中に銃口を向け、引き金を引く。

高い銃声が鳴《な》り響《ひび》き、示し合わせたように、スモークが客席に向けて流された。

銃弾が、寄生体の男の肉体に突《つ》き刺《さ》さる。

「な……まさか……そんなバカな……」

両目を見開いた悪魔が、直後、激痛に全身を硬直させる。歌が止まり、全身に浮き出たすべての口が断末魔《だんまつま》の叫びを上げる。

そのまま、悪魔が寄生体の男から離れた。

重心を失った男の身体が、糸を切られた操《あやつ》り人形のように、舞台の上に崩れ落ちる。その身体をすんでのところで抱きとめ、雪男が至近距離から悪魔を見上げる。その左手には、背中のホルスターから抜き取った別の拳銃が握られていた。

「き……貴様ァ……それでも、祓魔師《エクソシスト》か……」

悲鳴のような声でうめく悪魔を無言で見やり、雪男が二度、三度と引き金を引く。

全身に聖なる銀の銃弾を撃ちこまれた悪魔が、宙に四散していく。

寄生体の男を舞台に横たえた雪男は、平然と悪魔の最期《さいご》を見届けた。

『虚無界《ゲヘナ》にはお前一人で行け』

「この……クソ偽善者《エクソシスト》、が…………」

わずかに残った口元で、悪魔が呪《のろ》うように告げる。

「祓魔師《エクソシスト》が……人殺しとはな……」

それを聞いて、雪男が仮面の下で軽く笑う。何がおかしい、とうめく悪魔に、雪男が腰の弾薬入れから先ほどと同じ銃弾を取り出して見せる。

『これは、聖銀じゃない。CCC《トリプルシー》濃度の聖水だよ』

「!!」

聖水は人体には何の害もないが、悪魔には極《きわ》めて有効だ。といっても、普通にかけたぐらいではそれほどの効果はなく、しばしその動きを止める程度だが、充分に濃縮した高濃度のものであれば、激しい痛みを与えることもできる。

銃弾に模《も》した形で撃ちこめば、本物の銃弾を撃ちこまれたと勘違《かんちが》いしてもおかしくはない。

この聖水弾は、万一の事態を想定して作られた新作で、先日、行きつけの祓魔《ふつま》用品店の女将《おかみ》に勧《すす》められ、購入したばかりだ。まさか、こんなところで役に立つとは思わなかったが――。

「聖職者のくせに……悪魔、を……騙しやがったのか……」

『生憎《あいにく》、偽善者《エクソシスト》なもので』

にっこりと雪男が告げる。

「ク……ソが……」

忌々しげにうめいた悪魔の肉片に、左手の拳銃でもう一発、聖なる銃弾を撃ちこむ。黒い粉塵《ふんじん》となって、悪魔が宙に消えていく。

悪魔が滅《めっ》したことで、客席の乱闘騒ぎも鎮静《ちんせい》化したようだ。

「――あれ？　オレ、どうして……」

「なんで、俺らケンカなんかしてんだ……？」

「嫌《いや》だ……頭、ボサボサ……」

「なんか、急にイライラしたんだよな……それから、記憶がねえ」

「なんだよ、このスモーク？」

「それより、会場、めちゃくちゃじゃねーか」

正気に戻った人々の声が聞こえるなか、

「ブルー・ソルジャーが助けてくれたんだよ！」

という少年の声と、

「そうだ……！　ブルー・ソルジャーは!?　どーなったんだ!?」

兄の声が聞こえる。

舞台と客席の間に充満していたスモークが徐々に薄らいでいく。


――雪男は兄に姿を見られる前に、舞台の袖《そで》に身を隠した。

その後、大急ぎでスーツから元の服に着替えた雪男は、ようやく使えるようになった携帯で、騎士團に連絡を入れた。

数十分後、駆けつけてきた騎士團員が、その場にいる全員と会場の浄化作業を行い、怪我人《けがにん》は病院に搬送《はんそう》された。——といっても、軽傷者がほとんどで、寄生体となった男も命に別状はなかった。ただ、強い魔障《ましょう》を受けているため、今後、悪魔が視《み》えるようになるだろう。彼がこの先、どんな人生を歩《あゆ》むかはわからない。

コンサートはもちろん中止である。

チャリティーコンサートなので、チケットの払い戻しを迫《せま》る客は、ほとんどいなかった。皆、悪魔に惑《まど》わされていた時の反動か、頭がぼんやりしているらしく、主催者である教会を非難する者が出なかったのは、不幸中の幸《さいわ》いといえるだろう。

ただ、様々な後処理や会場の片づけだけでもひと苦労で、それらがすべて終わり、兄弟が帰路に着いた頃には、正十字学園町は沈みゆく夕日に真っ赤に染《そ》まっていた。

「あーあ、今日は、さんざんな一日だったな……」

南十字商店街を歩きながら兄がぼやく。さすがに疲れた顔だ。先ほどから、ぐうぐうと腹の虫がうるさいほど鳴っている。

「しっかし、こえーよな。サブリナ効果って」

「サブリナじゃなくて、サブリミナルね。サブリナじゃパンツだよ」

強力なサブリミナル効果を持った演奏のせいで、皆の中の凶暴性と破壊欲求が急速に高まり、あのような惨事《さんじ》になった——と兄には説明してある。説明を聞いた後も、チンプンカンプンという顔をしていたから、

『兄さんも激しいロックを聞いて、わーってなることとか、あるでしょう？　あれの凄《すご》い版だよ』

と、幼稚園児にするような説明をしてやると、ようやくわかったようだ。ポンと手を打ち、

『すげーな、サブリナって』

としきりに感心していた。

悪魔についてのくだりは耳に入れさせぬよう、騎士團員が皆に説明している間、兄には

デパートの下に停《と》めてあるバンに、荷物を取りに行ってもらった。乱闘を鎮《しず》めるためにだいぶ疲労困憊《こんぱい》していただろうが、『頑張れば、今晩スキヤキ』の呪文《じゅもん》が効《き》いているのか、実に扱《あつか》いやすかった。

（これで、晩ご飯がスキヤキじゃなかったら、大変だろうな……）

考えて、ぞっとする。野菜炒《いた》め（肉なし）などだったら、どうなることか。

肉じゃがでも回鍋肉《ホイコーロー》でもいいから、せめて肉の入った料理であってくれ、と今週の料理当番に祈っていると、隣で燐が鼻をひくつかせた。

「イイ匂《にお》いだなぁ〜」

夕飯の買い物に来た客でごったがえす商店街は、あちらこちらから香《こう》ばしいような、あたたかい匂いが漂ってくる。揚《あ》げたてのメンチカツの匂いや、総菜屋《そうざいや》の煮物《にもの》の美味《おい》しそうな香りが、空腹にきつい。

その匂いに涎《よだれ》を垂《た》らしていた燐が、そういえば、と言った。

「お前、あの乱闘騒ぎの間、どーしてたんだよ？　大変だったんだぞ」

「*!!*」

来た。絶対、聞かれると思っていた疑問だ。

内心の動揺を隠しつつ、前もって考えておいた言葉を口にする。

「いや……実は、トイレから戻ってきたら、会場が大変なことになってて……屋上のドアの前で驚いて腰を抜かしてたんだ」

やや苦しい言《い》い訳《わけ》だが、日頃から、〝雪男＝弱虫・ひ弱〟の図式が頭にインプットされている兄は、あっさり信じたようだ。

「しょうがねえなあ、お前は……」

と笑う。雪男は困ったように頬《ほお》を掻《か》いてみせた。

「いや、面目《めんぼく》ない」

「まあ、お前がいてもどうにもならねーだろうけど、少しは——」

自分を見習え、と言うのかと思っていると、

「ブルー・ソルジャーを見習えよな！」

「え？」

なんとなく、間抜けな声が出てしまった。

珍しくきょとんとした顔になる雪男に、燐がなぜか自慢げに、フフフ……と笑った。そして、いたんだよ、と告《つ》げる。

「何が？」

「今日、会場に、本物のブルー・ソルジャーがっ!!」

「!!　…………ははははっ」

子供のように目を輝かせる兄の顔に、思わず、吹き出してしまう。そのまま雪男が笑い続けると、燐が気を悪くしたような顔でこちらを睨《にら》んできた。

「なに笑ってんだよ」

「いや、あれはテレビの番組だよ？　本物なんているわけないでしょ」

「いや、いたね！　ビビリのお前が頭を抱《かか》えて震えてた時、舞台の上にいたね！　兄ちゃんはこの目で見たもん」

「はいはい。夢は寝て見ようね」

「夢じゃねーよ！　ホントにいたんだって!!　すっげー、かっこよかったんだぜ!?　なんか、真っ黒な銃持っててさ、動きとか、すげー速くて――」

燐が躍起《やっき》になってその時の様子を再現してみせる。

両手を忙《せわ》しなく動かす兄に、雪男がメガネの下の両目をそっと細める。

(聞かなくても知ってるよ……兄さん)

だって、そのブルー・ソルジャーは、今、兄さんの目の前にいるんだから――。

「すげーんだぜ？　なんか、腰にいっぱい武器っぽいものぶら下げててさ、とにかく、すげーんだって」

「いや、さっきから兄さん、すげーしか言ってないし」

雪男におかしさを噛《か》み殺《ころ》すのに、精一杯で、やれやれ困った兄さんだという顔を作るのに苦労した。

なかなか信じようとしない雪男に、ホントだって言ってるだろ、とぶーたれていた燐が、ふと真顔《まがお》になって言う。

「そういえば……ブルー・ソルジャーって、前は剣持ってなかったっけ？」

「!!」

「いつ銃に替えたんだ？」

なにげない疑問にびくっとする。

その時、人ごみの中に馴染《なじ》みの修道服が見えた。今週の食事当番である彼・丸田は、両手に大きなビニール袋を提《さ》げている。どうやら、スーパーの帰りらしい。

袋の口から飛び出した肉のパッケージに、燐の両目が輝く。青々とした長ネギや焼き豆腐らしき姿も見える。

「スキヤキ!?」

そう言うやいなや、ぴょんと猫のように跳《は》ねて走りだす兄の背中に、片手で胸元を押さえてほっとため息を吐《つ》く。そして、ふと、その手に目を留める。

（そういえば……）

今日は、揺り返しのような恐怖がこない。

緊迫した戦場から戻ってなお、震えることのない左手を、宙にかざす。赤い夕日がそれを明るく染めた。

――すっげー、かっこよかったんだぜ!? なんか、真っ黒な銃持っててさ、動きとか、すげー速くて……

兄の興奮した声が聞こえたような気がした。

雪男はふっと頬を緩《ゆる》めると、夕焼けに赤く染まった町の中、駆ける兄の背中を追った。

キミとタンゴを踊りたい

「はぁ……」

（あ、出雲《いずも》ちゃん、また、ため息した）

朴《ぱく》は、机の上に頰杖《ほおづえ》をついている親友を観察していた。片手で教科書をパラパラめくっているものの、その大きな瞳《ひとみ》は文字を追っておらず、日差しの翳《かげ》った窓の外をぼんやり眺《なが》めている。

やっぱりおかしい。

正十字学園《せいじゅうじがくえん》高等部一年生、元・祓魔塾訓練生《ふつまじゅくペイジ》の朴朔子《のりこ》は、もう何日も前から親友・神木《かみき》出雲の様子がおかしいことに気づいていた。

まず、元気がない。たえず物思いに耽《ふけ》っているような表情で、朴が話しかけても上《うわ》の空《そら》だ。勉強にも身が入っていないように思える。

勝気《かちき》が取《と》り柄《え》で、他人に弱味を見せるのが何よりも嫌いだと豪語する彼女は、常《つね》に凜《りん》としている。こうあからさまにアンニュイなため息など吐《つ》くタイプではない。

授業終了の鐘《かね》を聞きながら、彼女の座っている席に近づき、

「出雲ちゃん、もう授業終わったよ?」

と声をかけると、出雲はようやく我に返ったようだ。慌《あわ》てて教科書を閉じる。

「知ってるわよ。ちょっと……授業で、わからないところがあって……気づかなかったわけじゃないんだからねっ」

ちょっと怒ったように言う。もちろん、本当に怒っているわけではなくて、照れくさいと怒ってしまうのだ。朴はそんな出雲が大好きだったが、もうちょっとだけ素直《すなお》になってみてもいいのに、とも思う。

そしたら、きっと、もっと可愛《かわい》いのに。

実際、出雲は整《ととの》った顔立ちをしている。真《ま》っ直《す》ぐ伸びた長い髪は朴の密《ひそ》かな憧《あこが》れだ。薄くて可愛いらしい形の眉《まゆ》によく似合っていて、源氏物語《げんじものがたり》に出てくるお姫さまみたいだと思うけれど、言ったらきっとすごく怒るので、黙っている。

「ランチに行こうよ。今日はカフェテリアにする? それとも購買《こうばい》でパンを買って、芝生《しばふ》で食べよっか」

「そうねえ……」出雲はちょっと考える仕草をして、「購買にしよっ」と席を立った。

正十字学園高等部の学食はフレンチからイタリアンまで何でも揃《そろ》っていて、味も絶品な

のだが、ランチセットで一八〇〇円～という法外な値段設定だ。ちょっとしたホテルのランチ並みに高い。

正十字学園はいわゆる金持ち校だが、学生の皆が皆、セレブというわけではないので、倹約のため、購買でパンやおにぎりを買って、高等部の敷地内にある芝生やベンチで食べている者も多い。

出雲や朴も、時にそうやって節約し、お互いの趣味である小説――出雲は恋愛小説で朴は古典、とジャンルは違うけれど――を買ったりしている。

「ねえ、出雲ちゃん。塾、大変なの？」

朴は、出雲が色とりどりのハートが散らばった手提《てさ》げに財布《さいふ》とポーチを詰《つ》めこむのを待って、一緒に教室を出ながら尋《たず》ねた。

周囲の級友達もランチに向かったり、友人同士で談笑したり、思い思いに羽を伸ばしている。

「候補生《エクスワイア》の試験に合格したんだよね？　前に志摩《しま》くん達に会った時に聞いたんだ。もう任務にも行ってるんでしょ？」

――数か月前まで自分も在籍していたその塾は、悪魔と戦う祓魔師《エクソシスト》になるためのもので、〝塾の鍵《かぎ》〟さえ持っていれば、いつでもどの扉《ドア》からでも行ける、不思議な塾だった。

もともと、祓魔師《エクソシスト》とは縁のない平和な日常を送ってきた朴は、出雲の勧《すす》めで入っただけで、祓魔師《エクソシスト》になりたいという確固たる志《こころざし》もなく、塾の授業にもついていけなかった。ある事件をきっかけに、自分がいるべき世界ではないのだと覚《さと》り、塾をやめることにしたのだが、だからといって、朴と出雲の関係は少しも壊れていない。多少、ギクシャクすることもあったけれど、今ではそれもなく、学校でも寮《りょう》でもたいてい一緒にいる。

だからこそ、彼女に悩みがあるとすれば、朴の知らない塾内のことだろうと思ったのだが、あながち方向性は間違っていなかったようだ。出雲は『塾』という単語にびくっとすると、すぐに元の調子に戻って、肩にかかった髪を払った。

「……べ、別に。あたしは巫女《みこ》の血統なのよ。あんな子供じみた任務、楽勝すぎて欠伸《あくび》が出るぐらいよ。てか、朴！　あんな軽い男に近づいちゃダメじゃないっ！　朴は、ぼんやりしてるっていうか、隙《すき》があるっていうか……まあ、あのバカが寄ってきてもあたしが追いはらってあげるけど」

その反応はいつもの彼女だ。

塾に原因があることは間違いなさそうだが、授業についていけないとか、任務が辛《つら》いとか、そういうことではないらしい。うーん、と頭を悩ませた朴は、ふっと思いついたことを尋ねた。

「杜山《もりやま》さんと、やっぱり上手《うま》くいってないの？」

杜山しえみは祓魔塾の生徒で、草花を愛する穏《おだ》やかな少女だ。内気でちょっと天然なところもあるけれど、朴はいい子だと思っている。意外に冷静で度胸もあり、朴が屍《グール》に受けた魔障《ましよう》を蘆薈《アロエ》で覆《おお》い、壊死《えし》を防いでくれたこともある。

だが、出雲はなぜか、彼女を毛嫌いしていた。

「は？　……上手くいくも何も、あんな変わった女と、元から仲良くないし。なんで、あたしがあんな子のために悩まなきゃならないのよ？」

これも相当な見当違いだったようだ。

（それに……）

朴としては嬉《うれ》しいことに、自分が塾をやめた後、出雲の心境にも微妙な変化が生じたようだ。しえみのことを語る時の彼女の口調に、以前ほどの険《けん》がないように思う。

（そっか。頑張ってるんだね、出雲ちゃん）

朴は巣立っていく雛《ひな》を見守る親鳥のような心境で、隣を歩く友を見つめた。

「じゃあ、他の人？　あっ！　出雲ちゃん！　もしかして、もしかすると――」

「な、何よ？」

朴は唐突《とうとつ》に思いついた事柄《ことがら》に、にわかに興奮する。そうだ。どうして、真っ先に思いつかなかったのだろう。女子高生の悩みといえば、いわずもがなの……。

「好きな人ができたんでしょう。塾の中で！」

どうだ、とばかりに人差し指を上に向けて立て、朴が告《つ》げる。これで正解——と思いきや、出雲は露骨に嫌《いや》な顔をしてみせた。

「はあ!? 急に何言いだすのよ、朴！　あんなバカどものどこをどう好きになれっていうわけ!?　あんなの好きになるくらいなら、まだミカヅキモでも好きになったほうが、光合成するだけマシよ！」

うーん……ミカヅキモですか。

これは照れて怒ったのか、本当に怒ったのか、判断がつきにくい。ともあれひどい言われようだ。

（ミカヅキモよりは、全然マシだと思うけどな）

朴が心の中で、ミカヅキモ以下にされてしまった可哀相《かわいそう》な四人をフォローする。

奥村燐《おくむらりん》、勝呂竜士《すぐろりゅうじ》、志摩廉造《れんぞう》、三輪子猫丸《みわこねこまる》——一月《ひとつき》も一緒にいなかったけれど、塾の男子達は皆、明るくて気さくないい人達だった。特に奥村くんは笑顔がかわいくて、ちょっとだけカッコよかった。その双子《ふたご》の弟だという講師の奥村先生も素敵だったっけ。でも、どう見ても兄と弟が反対に見える兄弟だったな……と、まあ、それはいいにしても。

（じゃあ、出雲ちゃんは何について悩んでるんだろう？）

結局、わからずじまいだ。

だが、『なんで悩んでいるの？』と尋ねて、おいそれと教えてくれる出雲ちゃんじゃないことだけは、わかっている。素直じゃないところも出雲ちゃんの魅力なのだけれど、やっぱりちょっとは素直になってもらいたいなあ、と思う。

仲良く並んで校舎の外に出ると、出雲の足がぴたっと止まった。

「出雲ちゃん？」

不審《ふしん》に思った朴がその横顔を見上げると、出雲の眼は、時計台のある校舎から真っ直ぐ延びた大階段の中央に注《そそ》がれている。

その先には、先ほど話題に上った塾生の一人、奥村燐の背中があった。

この燐という男子は、妙な存在感があるうえに、いつも袋に入れた長い剣を持ち歩いているので、遠目にもよくわかる。

（え？　やっぱり、奥村くんなんじゃ……）

朴がドギマギする。

だが、よくよく見ると、出雲の視線は彼自身ではなく、彼の後をせっせとついていく、黒くてふわふわした物体に注がれていた。

（猫……？）

——なのだろうが、なぜ校内に猫がいるのか。

しかも、尻尾《しっぽ》が二つに割れている。全体的に毛色は黒だが、足の先っぽとお腹《なか》は真っ白で、口のまわりだけがちょっぴり汚れたような灰色をしているのが、ぬいぐるみみたいで、なんともいえず可愛い。

そのうえ、燐にとても懐《なつ》いているようで、ぴょこたんぴょこたん飛びまわっては、彼の足元にしきりにじゃれついている。その愛らしさたるや、特に猫好きというわけでなくとも、胸がキュンキュンしてしまう。

（なるほど。あれかぁ……）

朴はようやく、親友のため息の原因に気づいた。

彼女自身は必死に隠しているが、神木出雲は〝可愛いもの大好きっ子〟なのである。

「へぇ～、クロっていうんだ。奥村くんの猫」

曇《くも》り空《ぞら》の下、ふさふさの芝生《しばふ》の上で、ミックスサンドを食べながら朴が告《つ》げる。

すると、タマゴサンドを食べていた出雲が、

「猫じゃないわ。猫又《ケット・シー》よ」

と生真面目《きまじめ》に訂正《ていせい》した。

出雲の談によれば、猫又《ケット・シー》とは猫に憑依《ひょうい》する悪魔のことで、日本のものは尾が二又《ふたまた》に分かれているらしい。出雲が召喚《しょうかん》する白狐《ビャッコ》のような神使《シンシ》とは異《こと》なるものの、人と契約して共存しているものも多く（なかには、ちゃっかり飼い猫として飼われている猫又《ケット・シー》もいるそうだ。なんか、可愛《かわい》い）、クロは燐と契約を交《か》わし、彼の使い魔となったという。

「悪魔を使い魔かぁ」朴には本当に別世界の話だった。「すごいんだね～。奥村くん」

素直《すなお》に感心すると、出雲は不愉快そうにフンと鼻を鳴らした。

「別にすごくないわよ。クロがどういう経緯《いきさつ》で、あのバカの使い魔になったか、誰も知らないんだし」

「そうかな」

「そうよ」

「でも、クロ可愛いね」

「そうでしょ……――そう？」

一瞬、興奮して声を大きくしかけた出雲が、慌《あわ》てて言い直す。声を落とし、あくまで、私は興味ないわ、と言わんばかりだ。朴はおかしくて、出雲に気づかれないようにクスクス笑った。

「猫又《ケット・シー》って、どんなものを食べるの？」

「古くなれば古くなるほど、人間と同じよ。クロは肉が好きみたいだけど。飼い主が『スキヤキ』『スキヤキ』ってうるさいからね、きっと」

燐が塾の講義の最中に寝惚《ねぼ》けて『スキヤキ！』と叫んだのを思い出し、なるほど、と思う。

しかし、よく観察しているものだ。むろん、奥村燐ではなく、クロのことを。

「猫又《ケット・シー》って、強いの？」

「個体によってそれぞれよ。クロはきっと弱いわね。あんなに可愛――ゴホン――小さいんだし」

「猫又《ケット・シー》ってさ、普通の猫みたいにお昼寝とかするの？」

「するんじゃない？　クロにはね、お気に入りの場所があるのよ。図書館の裏のひだまりの中で、こう小さく丸まっておねんねしてるのを――」

両目を閉じ流暢《りゅうちょう》にしゃべっていた出雲が、そこで我に返ったように、

「……べ、別にあたしには関係ないけど」

と言った。赤くなったほっぺをふくらました顔で、パックのいちご・オレをすすっている。

（可愛いなぁ、出雲ちゃん）

無意識に赤ちゃん言葉が出てしまったのが、恥ずかしくてしかたないのだろう。

朴は今にも笑いだしそうになり、それを堪《こら》えるため、親友から顔を背《そむ》け、サンドイッチにかぶりつく振りをした。

——と、くだんのクロが、朴の視界の端《はし》をチョロリと横切った。

「あ、クロだ」

「どこにっ⁉」

思わずつぶやいた言葉に、出雲が弾《はじ》かれたように反応する。朴の視線を追って、がばっと振り向く。

そして、そんな自分にはっとしたらしく、気まずそうに空咳《からぜき》を一つした。

「……ホントね」

と、さも関心がなさそうに告げる。でも、耳たぶがちょっぴり赤くなっている。朴は、またも笑いを堪えるので精一杯だった。

クロは一人（いや、一匹か）でいるわけではなく、ちょっと離れたところにいる奥村ツインズにおともしてきたようだ。弟の雪男《ゆきお》のほうはベンチで女子生徒に囲《かこ》まれており、兄の燐のほうは芝生で寝転がっている。その足元で、小さな蝶《ちょう》を追ったクロが、ぴょんぴょん飛《と》び跳《は》ねていた。

すんでのところで蝶をつかまえ損《そこ》ね、芝生にぺしょんと落ちる。

それに、出雲が「あ……」と声にならないつぶやきをもらす。差し伸べようとした手が宙で行き場を失っている。まるで、よちよち歩きを始めた子供を見守る若い母親のようだ。

「ねえ、出雲ちゃん。奥村くんに頼んで、クロを抱っこさせてもらおうよ」

朴が出雲に耳打ちすると、出雲はちょっとびくっとし、

「あ、あたしはいいわ……べ、別に」

と告げた。強張《こわば》った声と顔が、明らかに無理している。

（うーん、ダメかぁ……）

朴は依然頑固《がんこ》な友人を前に苦笑《にがわら》いした。そして、

「じゃあ、私は抱っこさせてもらってこよ」

とわざとらしく意地悪する。

それに、出雲は「……え」っと言った。明らかに動揺している。裏切られたような顔が

可愛い。

ゴメンね、出雲ちゃん。でも、もうちょっと素直《すなお》になってね。

「ちょっとここで待ってて。すぐ戻ってくるから」

と出雲に言って、燐とクロのいる芝生に近づいていく。

なおも蝶を追いかけていたクロが、口をちょっと開けた顔でこちらを見上げる。それから、燐を見て「にゃー」と鳴いた。誰？　と言っているようだ。

燐は朴のことを覚えていてくれた。

「よお、久しぶりだな。もう平気なのか？」

と、上半身を起こし、だいぶ前の怪我《けが》のことを尋《たず》ねてくる。奥村くんは見た目はちょっと不良っぽいけれど、やさしい。だから、クロもこんなに彼に懐《なつ》いているのだろう。

朴はにっこり笑って答えた。

「うん。もう大丈夫だよ。――ねえ、その猫又《ケット・シー》、奥村くんの使い魔なの？」

「ああ、『クロ』って言うんだ」

使い魔なんてすごいね、と言うと、燐はいかにも鼻高々という表情になった。どうやら、出雲とは正反対で感情がすぐに表に出るようだ。

「抱かせてもらってもいい？」

「おう、いいぜ」

燐が気さくにうなずく。朴が両手でクロを抱き上げると、クロはおとなしく抱かれていた。悪魔と聞いていたから、以前の屍《グール》の件もあって、多少緊張していたけれど、尻尾《しっぽ》が二又に分かれている以外は、普通の猫と同じだ。あたたかくて、生き物特有の切ないような重たさがある。毛はふさふさでおひさまの匂《にお》いと、なぜか、お酒の匂いがした。

朴がちょっと首を傾《かし》げる。

「お酒の匂いがする……」

「ああ、コイツ、マタタビ酒が大好物なんだ」

「マタタビ酒？　スキヤキじゃなくて？」

「？　スキヤキは皆好きだろ？」

わけがわからないという顔でそう答えた燐が、直後、ぎょっとしたように青ざめた。まるで幽霊でも見たようなその顔に、

「ど、どうしたの？　奥村くん」

朴が驚いて尋《たず》ねると、燐が震える指で朴の後ろを指さした。

「な……なんか、まゆげがものすごく怒ってるぞ……」

「まゆげ？」

一瞬、怪訝《けげん》な顔をしてしまい、ああ、出雲ちゃんのことか、と思《おも》い至《いた》る。

男の子って時々、突拍子《とつぴょうし》もないアダナをつけるなぁ、と思いつつ背後を振り向くと、朴も思わず、うっ……となった。

確かに見ている。

見ているというか、ガン見《み》だ。

瞬《まばた》きもせずに、じぃーっとねめつけている。

見るだけで人を殺せる目だ。

「なんなんだ……なんか、すげー、こっち睨《にら》んでるぞ……こえー」

さしもの燐もうろたえている。これでは、クロにまで怖《こわ》がられてしまう。

慌てた朴は、クロを抱いたまま出雲に近づいていく。

「ほらぁ～、出雲ちゃん。クロ、可愛いよぉー。ふわふわだよぉ～」

「…………」

出雲の顔がますます怖くなる。口をへの字に曲げ、むっつりと押し黙ったまま、一言《ひとこと》も発しない。だが、朴には、それが懸命に叫びだしたいのを我慢しているせいだとわかった。

現に、その両手がクロを抱っこしたくて、うずうずしている。

あとひと押しだ。出雲の目と鼻の先までやってくると、朴は「クロ、出雲ちゃんだよ」

とクロの大きな耳元にささやいた。それに、朴の肩にもふっと顔を埋《うず》めていたクロが振り返る。

しかし、出雲の姿を認識した途端、それまでおとなしかったクロがしゃっと朴の腕から逃《のが》れ、そのまま、朴の左斜め後ろ方向へ脱兎《だっと》のごとく逃げ出してしまったのである。

「？　ク、クロ……？」

思いもよらない事態に朴は呆然《ぼうぜん》としつつも、クロの逃げ去った方向を見つめていた。その後、我に返りおそるおそる後ろに佇《たたず》む友人を見やった。

「あはは……クロ、どっか行っちゃったね？　なんか、面白《おもしろ》いものでもあっちにあったのかなー……なんちゃって」

「………」

「出雲ちゃん？」

「――行こ、朴。昼休みが終わっちゃうわよ」

と踵《きびす》を返す。

さぞやショックを受けているだろうと思いきや、意外に普通にしている。しかし、への字にきゅっと結んだ唇《くちびる》と、スカートの裾《すそ》を握《にぎ》りしめた両手が、かすかに震えているのを見て、朴は友の胸中を察した。

(出雲ちゃんってば……)

こんな時まで、素直じゃないんだから。

表面上は普段の彼女なだけに、朴は出雲が可哀相《かわいそう》でならなかった。

✝

(あーあ……また、クロちゃんに逃げられちゃった)

正十字学園内にある高等部専用図書館の静かな空気のなか、神木出雲は憂鬱《ゆううつ》なため息を吐《つ》いた。

実は、今までにも奥村燐のいない隙《すき》を狙《ねら》って、何度かクロにアプローチを試みてきたのだが、そのたびに逃げられてしまっていた。昨日《きのう》などは、猫の喜びそうな玩具《おもちゃ》を隠し持っていったが、駄目《だめ》だった。同級生の子猫丸とは仲良く遊んでいる姿を見かけたことがある。もしかすると、自分はクロに嫌われているのかもしれない。

その考えに、しゅんとする。

しかし、表面上はいつもの出雲だ。内心はしょんぼりしているのに、それを見せまいとぐっとお腹《なか》に力をこめている反動で、眉間《みけん》に大量のしわが寄ってしまっている。

その顔で図書館内を歩いていると、皆がぎょっとしたように道を開けてくる。それが、彼女のささくれ立った気分をさらに苛立《いらだ》たせた。

(なによ、皆で怖《こわ》がっちゃって……私って、そんなに怖いわけ?)

プンプンと肩をいからせながら歩いていた出雲は、とある本棚《ほんだな》の前で止まった。

そう。今日はしょんぼりな出来事だけではない。大きな収穫があったのだ。

(朴ったら、ホント……やさしいんだから)

ありがとう、私、頑張るね、と一番の親友に胸の中でメッセージを送りつつ、題名順に並べられた書物の中からお目当ての品を探す。

「あ、コレだわ、コレ——」

思わず笑顔になった出雲が、一番上の棚から背伸びして一冊の本を取る。

その題名は、

『家庭でできる、美味《おい》しいマタタビ酒の作り方』

である。これで、クロの大好物であるというマタタビ酒を作り、餌《え》づけしようという作戦だった。

——と。

「神木さんも本を借りに来たんですか？」

「!?」

背後から、穏《おだ》やかな声がかかる。びくんとすくみあがった出雲が、本を胸に抱《かか》えこんだ格好で振り向くと、そこには奥村雪男が立っていた。いつもの柔和《にゅうわ》な表情だが、わずかに息が乱れ、髪がくしゃくしゃになっている。おおかた、取り巻きの女の子に追いかけられ、まくために校内を逃げまわったのだろう。

「おや、『マタタビ酒の作り方』……ですか」

「!!」

出雲の抱えている本の題名に目を留め、雪男がちょっと不思議そうな顔をする。それに、出雲が再びドキッとする。

女子高生が好んで借りるような本ではない。雪男が妙な顔になるのも致《いた》し方《かた》なかった。それでなくとも、この講師は腹黒そう——もとい、鋭いところがある。もしや、クロを手懐《てなず》けようとしていることまで気づかれてしまったのでは……と出雲は、内心、あわあわする。しかし、

「家庭科の課題か何かですか？　最近の調理実習は、いろいろなものを作るんですね。ポテトサラダとか野菜炒《いた》めとか、そういうものかと思ってました」

再び笑顔になって告《つ》げる雪男に、ほっと息を吐《は》く。どうやら、とんだ杞憂《きゆう》に過ぎなかったようだ。

「え……あ、いえ……実は、猫又《ケット・シー》の好物が、マタタビ酒だと聞いたので、猫又《ケット・シー》の生態を知るために」

内心の動揺を押し隠し、出雲が咄嗟《とつさ》に思いついた嘘《うそ》を口にする。これならば、まるっきり嘘というわけではないので、必要以上にオドオドしなくてすむ。

「？　兄――いや、奥村くんに聞いたんですか？　それは、たぶん、ウチのクロに関してだけだと……まあ、確かに、猫はマタタビが好物ですから……あながち間違いとは言《い》い難《がた》いですが……」

世間一般の猫又《ケット・シー》が皆、マタタビ酒を好きなのだろうか、と顎《あご》に手をやって生真面目《きまじめ》に悩む雪男。しかし、すぐに笑顔に戻って告げた。

「なんにせよ、勉強熱心なことはいいことです。兄にも神木さんの――」

爪《つめ》の……と言いかけ、女性に対してはいろいろ問題ある発言だと思ったのか、

「兄にも神木さんを見習ってほしいくらいですよ」

と言い直す。

出雲は、とりあえずは上手《うま》く誤魔化せたことに、安堵《あんど》した。それならば、とあくまでさ

りげない口調を心がけ、尋《たず》ねる。

「あの、奥村先生。マタタビなんですが、どこで手に入りますか？」

それに雪男がちょっと考える仕草をした。

「たしか、木自体は塾の温室にあったはずですが、かなり時期が早いと思いますよ。花が咲くのは夏ですが、マタタビ酒にするような実が採《と》れるのは、十月頃ですし」

「十月……そうですか」

思わずがっくりとしてしまう。そんな出雲に、雪男がふと微笑《ほほえ》んだ。

「そうだ、杜山さんに頼んでみたらどうですか？」

「はあ？」いきなり出た苦手《にがて》な名前に、出雲が眉間にぐっとしわを寄せる。「杜山……さんですか？」

それを気にした風でもなく、雪男がにっこりと告げる。

「杜山さんの緑男《グリーンマン》だったら、どんな時期でもどんな植物でも出せるはずですよ」

「──だから、本当はあんたに頭下げるのなんて、真《ま》っ平《ぴら》なんだけど、しかたないから頼みにきてやったのよっ」

とても頭を下げているとは思えない態度で、高飛車《たかびしゃ》に出雲が告《つ》げる。

マタタビの実は欲しいけれど、アイツに借りを作りたくない……という葛藤《かっとう》の末、塾の休み時間に、杜山しえみを廊下に呼び出し、さんざ言《い》い訳《わけ》をしたうえで、怒ったような──そのじつ、赤らんだ顔で『マタタビをわけてくれない？』と告げた出雲である。

「え……？　マ……マタ、タビ？」

しえみは出雲に話しかけられたことに緊張しているのか、出雲以上に赤い顔でいつも以上におろおろしている。

「奥村先生に聞いたら、時期が早いけど、あんただったらなんとかなるって言うから、そうじゃなきゃ、私があんたに頭を下げたりするわけないでしょ？」

内心、断《ことわ》られたらどうしようと思っているのだが、彼女相手だとどうしても必要以上にツンツンしてしまう。

しえみはそんな出雲の態度に腹を立てるでもなく、火照《ほて》った頬《ほお》に両手をやり、真剣な顔でうんうんと聞いている。

「なんだかよくわからないけど、神木さんには、それが必要なのね？」

「そ……そうよ」

「じゃあ、私、家に帰ったら、さっそく探してみるね！」そう声高《こわだか》に宣言し、ぐっと拳《こぶし》を握《にぎ》る。「待ってて、神木さん‼」

にっこりと微笑《ほほえ》むしえみに、出雲が、「は？」という顔になる。

「いや……そんなことしなくても、アンタのその緑男《グリーンマン》で、出してくれれば……いいんだけど」

出雲と同じく手騎士《テイマー》の素質のあるしえみは、指人形のように小さな緑男《グリーンマン》の幼生《ようせい》を召喚《しょうかん》することができる。彼女は『ニーちゃん』と名づけたそれを、たえず肩の上に乗せて可愛《かわい》がっている。

緑男《グリーンマン》は〝地の王〟アマイモンの眷属《けんぞく》で、季節に関係なく身体《からだ》から植物を生《は》やすことができる、おとなしい性格の悪魔だ。今も「ニー、ニー」と言いながら、しえみの髪にしがみつき、なんとも愛らしい仕草で、その頬にスリスリしている。それでいて、主《あるじ》らが窮地《きゅうち》の時は、巨大な木の根を出してバリケードを作ったり、魔障《ましょう》用の蘆薈《アロエ》を大量に出したりと、なかなか頼もしい。

出雲が緑男《グリーンマン》――ならぬニーちゃんを指さすと、今度はしえみがきょとんとした顔になった。

「？　え……でも、足袋なんでしょう？　股足袋って。どんな、足袋《たび》なのかわからないけど、ニーちゃんは植物しか出せないから」

「は!?　足袋……？」

「ゴメンね、神木さん。今日、家に帰ったら、お母さんにも聞いて探してみるね」

いかにもすまなそうに告げる。

それに、しばし呆然《ぼうぜん》としていた出雲が、思わず吹き出しそうになり、慌《あわ》てて顔を背《そむ》ける。

（こ、こいつ……マタタビのこと、足袋の一種だと思ってる……）

だいたい、股足袋って何よ？　どんな足袋よ、と吹き出したいのを必死に我慢する。

「……くっ」

堪《こら》えきれずもれてしまった笑い声に、しえみが出雲の顔をのぞきこんでくる。

「なーに？　神木さん。どうしたの？」

「な……なんでもないわよ!!　――とにかく、マタタビってのは、足袋じゃなくて……こう夏に咲く白い小さな花で、その実が必要なの」

赤く染《そ》まった両耳を隠し、無理やり怒った顔を作った出雲が、身振り手振りもまじえてしえみに説明する。それに、

「ああ！」

神妙な顔でふんふんと聞いていたしえみが、ぱあっと花のような笑顔を浮かべる。「マタタビって、ナッちゃんのこと？」

「はあ？」

誰!? とつっこみかけ、出雲は彼女が以前、蘆薈《アロエ》のことを『サンチョさん』と呼んでいたことを思い出した。

（そういえば、こいつ、植物にオリジナルの名前をつけるんだっけ……）

たしかそのせいで、得意分野であるはずの悪魔薬学のテストで四十一点を取り、雪男にダメ出しを喰《く》らっていた。

「ニーちゃん、お願い。ナッちゃんの実をいっぱい出して！」

しえみがにこにことニーちゃんに告げる。

小さな緑男《グリーンマン》は、大好きな主の言葉に、

「ニー！」

と答えると、しえみの肩からぴょんと飛び下り、薄い緑色のふっくらしたお腹《なか》のあたりから、大量のマタタビを出した。枝の先に、マタタビ酒に必要な熟した実がいっぱいついている。

「はい、神木さん」

押しつけがましいことは何も言わず、心の底から幸せそうな顔で、しえみが山ほどのマタタビの実を手わたしてくれる。

出雲は葛藤の末、

「じゃ……遠慮なく、もらっとくわね……」

と口早に告げ、その後、物凄《ものすご》く小さな声で「あ……ありがと」と言《い》い添《そ》えたのだった。

それこそ、耳の先まで赤くなった顔をそらしながら——。

✞

——その日の晩。

夕飯を食べ終えた出雲は早々《はやばや》と入浴を済《す》ませ、寮長《りょうちょう》に許可を取ったうえで、寮内の調理場の灯《あか》りをつけた。

新設された学生寮の調理場は旧館のそれとは天と地ほども違う。広々とした室内には、最新式の調理器具と大きな冷蔵庫が揃《そろ》っている。

「マタタビも手に入ったし、さっそく調理開始ね」

張りきった出雲は、髪を高い位置でまとめ、パステルカラーの水玉が散りばめられたエプロンのひもをぎゅっとしめた。その格好で、調理場の台の上に、広口瓶《びん》や氷砂糖などマタタビ酒作りに必要なものを並べる。

そして、最後にしえみからもらった大量のマタタビの実をボウルに入れ、どーんと調理台の上に載《の》せる。すでに、殺菌はすませてある。

「これでよしと。あとは……っと」

片手で借りてきた本をめくる。

氷砂糖を入れた瓶にアルコール度数の高いお酒を注《つ》ぎ、三か月から六か月漬《つ》けこむこと、と書いてあった。漬けこみが足《た》りないと苦《にが》みが強いらしい。

「はあ？　半年も待てないわよ……氷砂糖をいっぱい入れれば、三日くらいでいいわよね」

勝手に解釈し、あとはお酒だけね、とうなずく。

「このホワイトリカーって、何？　ブランデー？　お酒ならなんでもいいのかしら……」

出雲は銀色の業務用冷蔵庫を見やる。調理場には様々な調味料と一緒に料理酒も常備されていた。

しかし、いくらふんだんにあるからといって、料理酒を使うわけにいかないだろう。し

かも、未成年の彼女には――いくら自分で飲むわけでないとはいえ――酒を購入することができない。

これもマタタビの実に続いての難関かと思われたが、その点に関してはすぐに解決した。

白狐《ビャツコ》を召喚《しょうかん》し、お神酒《みき》を出してもらえばいいのだ。

胸元から魔法円の略図を書いた紙を取り出し、そこに自分の血を一滴垂《た》らし、

「〝稲荷神《いなりのかみ》に　恐《かしこ》み恐み　白《もう》す――〟」

と唱《とな》えかけ、ふと、思いとどまる。

いくら、ただの猫ではないとはいえ、あんなちっちゃいクロに（注・実は、『ひゃくにじゅういっさい』クロ談）お酒を飲ませていいものだろうか？

「そうよ、てか、マタタビ酒とかいって、赤ちゃん（注・勘違《かんちが》いです）に何あげてんのよ。あのバカッ!!」

最初にクロにマタタビ酒をやったのが、亡《な》き燐の養父である獅郎《しろう》とは知る由《よし》もない出雲は、燐に腹を立てる。

しかし、クロと仲良くなるためには、どうしてもマタタビ酒が必要なのだ。

何か――できれば、アルコールの入っていないもので――代用できないだろうか……。

出雲は洗い場の壁の上にかかっている時計に目を向けた。七時五分過ぎ。真面目《まじめ》な彼女

としては、夜間の外出は望ましくないが、寮の規則によれば、寮生は八時までは自由に寮を出ていいことになっている。

　出雲はエプロンを外《はず》すと、うさぎの顔を模《も》した小銭入れだけを持って寮を出た。

「――お前、よう、そんなん買えるな。レジの店員、女やったぞ」

　学園の敷地内にある書店で、堂々とグラビア誌を買って戻ってきた志摩に、勝呂が嫌《いや》そうな顔で告《つ》げる。

　志摩は戦利品の入ったビニール袋を抱《かか》え、自慢げに微笑《ほほえ》んだ。

「フフフ……〝レジが女性でもエロ本が買える〟んは、俺の特技の一つですからね。この程度ならチョロいですわ」

「いや、自慢にならんやろ。まったく、お前は坊主のくせに……そんなんやから、小学生の時の仇名《あだな》が〝エロ魔神《まじん》〟やねんぞ」

「あー、言《ゆ》うたらあかんで！　坊《ぼん》！　それは、俺の黒歴史やん!!　高校からは、なるべくお上品な立ち位置で行きたいねん！」

　ホンマ、出雲ちゃんや杜山さんに聞かれんでよかったわぁ～と、安堵《あんど》のため息を吐《つ》く志摩に、

「ほな、最初から、そんなもん買うなや」

と勝呂があきれ顔で告げる。

その隣で、書店の自動ドアを出ようとしていた子猫丸が、

「あれ、神木さんやないですか?」

と暗い遊歩道を指さす。

確かにそこには、コンビニの袋らしきものを提《さ》げた神木出雲の姿があった。なにやら、キョロキョロ、オドオドしていて、見るからに挙動不審《ふしん》だ。

「ホンマ、出雲ちゃんや」

買ったばかりのグラビア誌をさっと背中に隠しながら、志摩がにやけ顔で告げる。「風呂上がりのおだんご頭も可愛《かわ》えなぁ〜♡」

「なんで風呂上がりとかわかんねん……お前、どんだけやねん」

勝呂がさすがに引いた顔で、つっこみを入れる。そして、出雲に視線を戻した。

「そもそも、あのまゆげ、こんな時間に何してるんや?」

「スーパーの帰りみたいですね」

子猫丸が、出雲の提げた『正十字マート』と書かれた袋に目を留める。勝呂もそれを見やり、眉《まゆ》をひそめた。

「なんや、あれ……『びぃる』とかいう文字が見えるんやけど」

「『ちびっこびぃる』って書いてありますね」

子猫丸が応じる。

半透明の袋なので、目を凝《こ》らせば中身が透《す》けて見えるのだ。「それに、めざしの丸干《まるぼ》しに……シャンマリー？？？」

子猫丸が形の良い頭をひねる。

「わけがわからへんな」

どんなチョイスやねん、と勝呂が告げる。ただ一人、志摩だけは、

「めざしを肴《さかな》に、ちびっこびぃるとシャンマリーでほろ酔い気分になろうやなんて、出雲ちゃんは可愛えなぁ〜♡」

両目を細めてクネクネしている。

「いや、合わんやろ」と勝呂。「しかも、ちびっこびぃるとシャンマリーには、アルコール入ってへんやんか。どないしたら、ほろ酔い気分になんねん」

「なんや、口の中が生臭《なまぐさ》くなりそうな組み合わせですよね」

子猫丸も苦笑《にがわら》いしつつ、そう告げた。

そして、普段の威風《いふう》堂々とした彼女からは想像もつかないほど、こそこそとした様子で

去っていく級友の姿に、再び、頭をひねる。

「神木さん、ホンマ、どないしはったんやろ……？」

一方、級友三人に姿を見られているとは知りもしない出雲は、一路、寮の調理場に急いでいた。

最初こそ、誰かに見られやしないかドギマギしていたが、寮が近づくごとに、その緊張もほぐれてきた。

ちびっこびぃるとシャンマリーなら、出雲も小学校のクリスマス会で飲んだことがある。アルコールも入っていないし、味も甘くて美味《おい》しい。これをカクテルのようにブレンドしてマタタビを漬けたら、きっとクロも気に入ってくれるだろう。それに、隠し味として猫の大好きなめざしの丸干しも買った。

この〝出雲特製マタタビ酒〟を気に入ってくれたら、二人（？）の仲もぐっと進展するはずだ。

出雲の脳内に、仲良くなった自分とクロの想像が駆けめぐる。

「にゃー」と言いながら、自分のほうに嬉《うれ》しそうに駆け寄ってくるクロ。自分の膝《ひざ》の上で丸くなって眠るクロ。自分の頰《ほお》に顔を擦《す》り寄《よ》せてくるクロ——それらの妄想——想像に、嬉しさのあまり身震いする。

(待っててね♡　クロちゃん)

最後はスキップせんばかりの足どりで、学生寮へと戻る出雲だった。


――それから、三日後の昼下がり。


クロお気に入りのお昼寝場所に向かった出雲は、図書館の裏のひだまりで真っ白なお腹《なか》を上下させながら、くぅくぅ眠るクロを見つけ、ぎゅっと唇《くちびる》を噛《か》んだ。

また逃げられてしまったらどうしよう、という思いが胸をよぎる。

(大丈夫、今日は、これがあるんだから……)

と自分を励《はげ》まし、周囲に誰もいないことを確かめてから、おもむろに赤ちゃん言葉でしゃべりかける。

「クロちゃ～ん、お昼寝でしゅかぁー?」

その声に、眠たそうな顔で「にゃ?」と顔を上げたクロだが、出雲の顔を目にした途端、

さっと全身の毛を逆立《さかだ》て、逃げ出そうとする。

それを、

「あー、待ってぇー、クロちゃん。今日は、マタタビ酒があるんでしゅよ……！」

慌《あわ》てて引きとめる。

『マタタビ酒』という単語に、クロの大きな耳がぴくっと動き、逃げるのをやめる。ちょろりと振り返ったクロに、出雲が笑顔でバッグから水筒《すいとう》を出して見せる。

「ほらほら、クロちゃんのだいちゅきなマタタビ酒でしゅよ～？」

水筒をチャプチャプと振ってみせる。

その音に吸い寄せられるように、クロが出雲の足元までやってくる。戸惑《とまど》いつつも舌舐《したな》めずりをしている姿にキュンキュンしつつ、出雲はその場にしゃがむと、水筒の蓋《ふた》の部分にたっぷりと出雲特製マタタビ酒を注《つ》いだ。

「はぁ～い、クロちゃん。いっぱいごっくんしようねぇ♡」

クロの前に置く。

喜んだクロが、二又《ふたまた》に分かれた尻尾《しっぽ》を振りながら、水筒の蓋に頭を近づける。にゃんと鳴きながら、舌で酒をなめた……のだが――――。

〝出雲特製マタタビ酒〟の独特のエグみとどろどろとしたムダな甘さの入りまじった、なんとも表現しがたい味にひっくり返ったクロは、その後、ますます彼女を避けるようになってしまった。

「い、出雲ちゃん……その、元気、出してね？」

「…………別に、私は元気よ。朴」

「でも、め、目が……死んだ魚みたいだよ？　隈《くま》も凄《すご》いし」

「ああ……これなら、別に気にしないで……昨日《きのう》、徹夜で本を読んだだけだから……」

「出雲ちゃーん」

親友・朴が案ずるなか、神木出雲の憂鬱《ゆううつ》なため息は、その後も止まることはなかったという。

煩悩坊主

因果応報《いんがおうほう》――行動と結果は結びつくという考え方の仏教用語。

それが、勝呂竜士《すぐろりゅうじ》の好きな言葉である。

それゆえ、彼は己《おのれ》を磨《みが》くべく日夜、鍛錬《たんれん》に明け暮れていた。

✞

「まあ、今日《きょう》も早いわねー」

「お早うございます」

勝呂が毎朝の日課であるジョギングをしていると、飼い犬の散歩中のご婦人が気さくに声をかけてきた。

正十字学園《せいじゅうじ》は一つの巨大な町のような構造になっている。あらゆる学業施設が集約されているだけでなく、生徒や教師が生活するうえで必要な商業施設や娯楽施設なども併設《へいせつ》されている。このご婦人も、そういった施設《しせつ》で働く関係者の一人だろう。

最初は、勝呂の目つきの悪さや、両耳に計七個ものピアス、一部分だけ金髪の奇抜なヘアスタイルなどに怯《おび》えていた彼女だが、毎朝のジョグコースで顔を合わせるうちに、打《う》ち解《と》けてくれた。飼い犬のコロも勝呂の姿に、盛大に尻尾《しっぽ》を振っている。

勝呂はリズムを崩《くず》さぬよう、その場で足踏みした。

「今日は、何キロ走るの？」

「五キロです」

「まあ、五キロも？」

「いろいろ試してみたんですけど、五キロくらいが一番しっくりくるんですわ」

「偉いわねえ。頑張ってね」

「ありがとうございます」

礼儀正しく目礼《もくれい》をして、再び走り始める。顔なじみのご婦人は、しばらくそこで手を振っていてくれた。勝呂がジョグコースを右に曲がるところで、コロがわんわんと吠《ほ》えた。

（ええ季節になったなあ……）

正十字学園内を彩《いろど》っていた桜はすでに散り、新緑が目にまぶしい。

上着を羽織《はお》らなくていいこの季節はジョグには最適だ。吹きつける風が心地良く、走っている間、まるで座禅を組んでいる時のように無心になれる。五キロなどあっという間に終わってしまう。少々物足《ものた》りなく感じる時もあるが、学生の本分は勉学であり、後ろに続く塾のことを考えても、程《ほど》よい疲労感があるあたりで留《とど》めておきたい。

(ホンマ、アイツらもやったらええのに)

ジョグを始める時、京都《きょうと》にいた頃からの連れである志摩《しま》や子猫丸《こねこまる》にも声をかけた。子猫丸はいかにもすまなそうな顔で辞退したが、志摩は朝早く起きてジョギングなど『変態や、変態のすることやっ!』とわめき散らした。彼は、遅刻ギリギリで食パンをくわえながら学校に飛びこむタイプだ。

(なにが、変態や)

勝呂にしてみれば、こんなに心地良い時間はそうそうない。

雨の日は塾のトレーニングルームでルームランナーに乗るが、やはり実際のコースを走るほうが、断然気持ちいい。トレーニングルームは、趣味の筋トレに使うほうが好きだ。あれはあれで、やはり無心になれる。

休みの日は寮室《りょうしつ》を心ゆくまで掃除し、二時間ほどジョグと筋トレで汗を流し、座禅を組む——それが、勝呂のいちばん落ち着く休日の過ごし方である。

そんな彼に、

『そんなんやから、坊《ぼん》は彼女がでけへんのや』

志摩はしたり顔でそう告《つ》げる。『もっと青春を謳歌《おうか》せな。正十字学園《ココ》の女の子、めっちゃレベル高いですやん！』

やかましいわ、と思う。

(偉そうに……自分だってそんなものおらへんくせに)

第一、勝呂には、魔神《サタン》を倒し、潰《つぶ》れかけた実家の寺を再興するという野望がある。そのためには、早く立派な祓魔師《エクソシスト》にならなければならない。目下は、竜騎士《ドラグーン》と詠唱騎士《アリア》の称号《マイスター》取得が目標だ。

色恋沙汰《ざた》に現《うつつ》をぬかしている暇など、彼にはなかった。

ｊ－Ｐｏｄから流れる軽快なテンポの洋楽を聞きながら、再び無心になると、勝呂はペースを上げて残り二キロを走り終えた。途中の婦人との会話時間を入れても二十三分二十七秒と、タイムもまずまずだった。

「やっぱ、朝のジョグは最高やな……」

首から下げたスポーツタオルで、零《こぼ》れ落ちる汗を拭《ぬぐ》う。

心地良い疲労と達成感に浸《ひた》っていた彼は、近くの木陰《こかげ》から自身をじっと見つめる熱い視線に、気づくことはなかった。

正十字学園男子学生寮に戻ると、館内はようやく起き出したらしい寮生達でにぎわっていた。

大浴場とは別にあるシャワールームで、ジョグで掻《か》いた汗を洗い流す。熱いシャワーが、強張《こわば》った筋肉をほぐしてくれる。勝呂は手早く、全身と髪の毛を洗った。

その後、併設された洗面所で髪形をセットし、学食で朝食をとった後に、校舎へ向かう。

授業の復習や予習は、すでに昨晩のうちにすませてある。

「ええ、天気やな」

学校までの道すがら、澄んだ空気を一杯に吸いこみ、青く澄んだ空を見上げる――と、そこまでは、普段通りの禁欲的かつ勤勉な日常の一コマであった。

が……。


「…………」

普通科のほうのクラスのくつ箱を開けたところで、勝呂はその場に硬直してしまった。

何度か瞬《まばた》きし、一度、それを閉じてみる。その後、大きく息を吸って、カッと両目を開き、再びくつ箱を開けると、上履《うわば》きの上にはやはり異質な物体が載《の》っていた。

薄いパステルピンクの封筒である。

宛名《あてな》のところに、繊細《せんさい》かつ美しい書体で、『勝呂　竜士　様へ』と書かれてある。

いかにも儚《はかな》げに置かれたそれは、明らかに恋する女性が男性に送る——いや、別に男性が女性に送ってもいいのだが……。

「こ……これは……ラ、ラ……ラ……」

ラブレターである。

脳にその単語が到達した途端、勝呂の厳《いか》めしい顔が真っ赤になる。

「!!」

咄嗟《とっさ》に、バタンとロッカーを閉めた——その時。

「……坊、見たでぇ」

「!!?」

地の底から這《は》いあがってきたような声に驚き、背後を見やると、そこに志摩の姿があった。

「な……なんで、お前が……こんな朝早い時間に」

今は八時三分過ぎ。ちなみに、授業が始まるのは、八時半。真面目《まじめ》な子猫丸ならともかく、遅刻常習犯の志摩がこんな早い時間に校内にいるなんて……。

補習か、もしくは教師に呼び出しでも喰《く》らったかと考えていると、

「今朝《けさ》の一限は松野《まつの》ちゃんの現国やから、子猫さんに頼んで起こしてもらったんや。――まさか、こんなえらい現場を目撃するとは、思うとらんかったんやけどね」

フッと無駄《むだ》にキザに笑う。

若く美人な女教師に釣られ、頑張って早起きをしたというわけだ。いかにも志摩らしい理由だが、なんで今日に限って……。

すると、志摩の後ろから、

「――坊、おはようございます」

と子猫丸が顔を見せる。小柄《こがら》な体格のせいで、志摩の陰《かげ》に隠れてしまっていたらしい。

「お……お前ら」

ぐっと唾《つば》を飲みこんだ勝呂が、強張った顔で幼い頃からの友人二人に尋《たず》ねる。「……今の……見たんか？」

「い、いえ、一瞬やったし、よう見えんかったです」

「ええ、バッチリ」

勝呂の動揺ぶりに気をつかった子猫丸と、まるで気をつかわない志摩。

「……志摩さん」

と子猫丸が頭を抱《かか》える。

そんなことはおかまいなしに、志摩がカッと目を見開く。

「あの薄いピンクの可憐《かれん》な封筒、女の子らしいか細い文字、そこはかとなく香《かお》る木蓮《もくれん》の花のような残《のこ》り香《が》!! 間違いなく、あれはラブレターやっ!!」

と絶叫した後、

「な……なんでやっ! なんで、俺やのうて、坊なんや!! この世には、神も仏もあらんのかいな……!!」

と嘆《なげ》く。今にも廊下に身を投げ出して、泣き叫ばんばかりだ。

その騒々しさに、周囲の生徒達が何事かと視線を投げてくる。

「何? 何、騒いでるの?」

「さあ……なんか、ラブレターがどうとか」

「えー? ラブレター? 誰が出したの?」

こそこそと女子生徒たちが話している内容が聞こえる。このままでは、大恥必至《ひっし》だ。

「黙れや、志摩! 皆の迷惑やろ!」

慌《あわ》てた勝呂が志摩を黙らせようとするが、

「なんで、こんな筋肉マニアの変態を好きになる子がおるんや……世の中、絶対、間違《まちご》うとる……！」

「やかましわっ!!」

終《しま》いには、その後頭部を思いきり叩《たた》いて黙らせ、

「――そない騒ぐほど、大したことやあらへん。ええ加減にせえや」

と告げ、勝呂が教室に向かう。

しかし、途中で土足のままだと気づき、真っ赤な顔で戻ってきた。

勝呂に殴《なぐ》られた頭を抱えていた志摩が、それにプッと吹き出す。

「あんなこと言うて、実は、めっちゃ動揺してはるやん。なあ」

と小声で子猫丸に耳打ちする。

それを、

「何や……」

と低い怒声《どせい》で黙らせ、勝呂が上履きに履き替える。

なお、その際、目にもとまらぬ早業《はやわざ》で、くだんのラブレターをバッグにしまったことに、志摩だけでなく子猫丸も気づいたが、さすがにそれを口にするほど愚《おろ》かではない。

「ほな、お前らも、早《はよ》う教室入れや。授業始まるで」

そう告げ、勝呂がのしのしと教室に向かう。しかし、その途中で柱に眉間《みけん》をぶつけた。

ガツン……とデカい音が廊下に響《ひび》きわたる。

「っ……!!」

思わず声にならない悲鳴を上げた勝呂が、眉間を押さえる。その後、ギッと赤い顔でこちらを睨《にら》み、何事もなかったかのように去っていった。

その後ろ姿に志摩が再び、ブッと吹き出しかけ、慌てた子猫丸がぎゅうっとその足を踏みつけた。

✝

——あなたのストイックな強さに憧《あこが》れてしまいました。

今日《きょう》の放課後、五時半に高等部の裏庭にある、ヨハン・ファウスト五世の銅像の前でお待ちしております。

一年　花村　恵

「うわっ……めちゃめちゃラブレターっぽい、ラブレターやないですか、コレ!?」

志摩が便箋《びんせん》を凝視《ぎようし》しつつ、羨望《せんぼう》の声音《こわね》で告《つ》げる。便箋を握《にぎ》りしめる手がブルブルと震えている。

せっかく手に入れられた『安くて美味《おい》しい☆日替わり正十字学園弁当』（三九八円税込）はそっちのけで、先ほどからずっとこんな調子だ。

「ストイックってなんや？　ストイックって……変態なだけやん。俺のほうがよっぽどやさしくするんに……」

「うるさいわ！　早《は》よ、飯《めし》食べろや!!」

結局、懲《こ》りない志摩にしつこく懇願《こんがん》され、ラブレターを見せてしまった勝呂である。しかし、すでにそのことを後悔《こうかい》していた。

昼休みの学食は生徒たちでごったがえしているため、志摩の奇行も（それほどは）目立たない。――が、もし、こんなところを差出人の彼女に見られてしまったら、不用意に傷つけてしまいかねないのではないだろうか？

案じた勝呂が志摩の手から便箋を取り上げる。

「あー、俺、まだ見てますやん」

「早《はよ》う、飯食えや」

ギロっと睨《にら》み、便箋を折りたたんでズボンのポケットにしまってしまう。

志摩はしばらくガタガタ言っていたが、ようやく弁当に視線を戻した。

この日は、味噌《みそ》カツにナポリタンにカレー味のピラフというトルコライスのような豪勢な内容で、一つ一つの量も多い。しかも味もなかなかのものだ。彼らのような苦学生に絶大な人気を誇っていて、昼休みと同時に完売してしまう。

以前、五百円《ワンコイン》で激ウマの定食を食べさせる店があったという話だが、残念ながら三人が行く前に潰《つぶ》れてしまったそうだ。今や、幻の店として語《かた》り継《つ》がれているとかいないとか……。

「坊《ぼん》。もしかしたら、あの一件を見たんかもしれませんよ」

ナポリタンをプラスチックのフォークに器用にくるくるっと巻きつけながら、子猫丸が告げる。勝呂が眉《まゆ》をひそめる。

「あの一件って、何や？」

「ほら、二週間ぐらい前に、坊。ケンカしはったやないですか」

「ああ……アレか」

言われてようやく思い出した。

五月の――たしか、GW《ゴールデンウィーク》明けぐらいに、同じ新入生の一人から因縁《いんねん》をつけられたのだ。名門校にしては珍しくツッパった感じの、柄《がら》の悪い生徒で、筋骨隆々《りゅうりゅう》、二メートルはあるという巨漢だった。

自慢ではないが、生まれつきの目つきの悪さが祟《たた》り、ケンカを吹っかけられた経験は数知れず、しかも、自身も決して血《ち》の気《け》が少ないとはいえないため、その都度《つど》、律儀《りちぎ》に買ってきた。いちいち覚えていない。

「一発でノックアウトだったやないですか。あれをその子が見てはったとか」

子猫丸の推理に、志摩が「それやっ！」と膝《ひざ》を打つ。口いっぱいに味噌カツを頬張《ほおば》りながら告げる。

「ここは、基本、お坊ちゃんお嬢さん学校やないですか。いいとこのお嬢さんが、なぜか、柄《がら》の悪そうな目つきの悪いヤンキーに憧れる……少女漫画の定番ですやん！」

「誰が、柄の悪そうな目つきの悪いヤンキーやねん!!」

志摩の台詞《せりふ》に勝呂が怒る。志摩は、言葉のあやですって、と宥《なだ》めつつ、キリッと真面目《まじめ》な顔になり、

「いや、でも真面目な話。もう、五月も後半戦やし、新入生のカップルができ始める頃でっせ？」

「なんや後半戦って」

「実際、誰それが誰それに告《こく》ったって話、多なってますもん。ええなぁ……春やなぁ♡俺も彼女ほしーわ♡」

一気にしまらない顔になった志摩が欲望を叫ぶ。

「アホか……お前の頭は一年中、お花畑やろ」

勝呂が呆《あき》れたような顔で食べ終えた弁当を閉じる。

そのまま、几帳面《きちょうめん》にゴミの分別《ぶんべつ》を始める彼に、

「いや、ホンマのところ、どうしはるつもりですか？」

志摩が声を落とす。いつも以上に、にやにやしている。

「どうしはるって、何をや？」

リサイクルマークのある包装用ビニールをより分けながら、勝呂が片方の眉《まゆ》を上げる。

そのいかにもわけがわからないという顔に、これだから、坊は……と、志摩がおもむろに首を横に振ってみせる。

「その子と会うわけですやろ？　放課後。理事長の銅像の前で」

「……おう……呼び出されとんのに、行かないゆうんも……悪いやろ」

と答える勝呂に、

「なんだかんだゆうて、坊はやさしいですからね」

子猫丸がさりげなくフォローを入れる。

すると、志摩がますますにやにやと笑った。

「待ち合わせの場所に行って——その子と会《お》うて——その先、どないしますん?」

「その先って……お前……」

「『好きです。私と付き合ってください……♡』とか、潤《うる》んだ目ぇして言《ゆ》われたら、どないしますんや? 一気に、大人《おとな》の階段を上がっちゃいます? いや～、羨《うらや》ましいなあ～♡」

「お……お前、仮にも坊主やろっ!!」

相変《あいか》わらず煩悩《ぼんのう》まみれな志摩の発言に、やおら仁王《におう》像のような形相《ぎょうそう》になった勝呂が一喝《いっかつ》する。しかし、志摩はてんで悪びれない。

「大昔の話やないんですから、今は妻帯《さいたい》だって許されてますやん。俺のお父《とん》なんか、七人の子持ちですよ?」

意外に正論である。

勝呂がぐっと詰《つ》まる。

「それはそうやけど……」

そもそも、自分は断《ことわ》ることを前提で考えているのだ、と告げようとすると、

「それに、この花村《はなむら》メグミさんって、たしかものすごい美人さんですよ?」

「! そ……そうなんか? い……いや、別にどうでもええけど」

ものすごい美人さんというくだりに、さすがに勝呂が反応する。表向きこそ、いかにも

興味がない——という風を装《よそお》ってはいるが、やはり健全な男子高校生である。彼とて、美人には弱い。

「ホンマですって。出雲《いずも》ちゃんと同じクラスの子やから知ってるんですけど、めちゃめちゃレベル高いですよ。ええなぁ〜、なんで、俺やのうて坊なんや」

最後のくだりにいやに実感をこめて、志摩が再び、羨ましがる。

「そうか、まゆげのクラスなんか……」

それならば、自分たちと同じ普通科だな、と思っていると、

「なんや、坊。やっぱり、メグミちゃんのこと、気になってるんやないですか。実は、これから教室の前を通ってみようとか、考えてはるんですやろ？　このこの〜」

ムフフ……とイヤらしく笑って、志摩が肘《ひじ》の先でつついてくる。

「やめや!!」

再び恐ろしい形相になった勝呂が、志摩の腕を払《はら》い除《の》ける。

「俺は、魔神《サタン》倒して、寺を復興するゆう野望があるんや！　色恋なんぞに現《うつつ》をぬかしてる暇なんぞ、あらへん!!」

そう宣言し、椅子《いす》から立ちあがると、仁王立ちの格好で、もう一度、志摩を睥睨《へいげい》し、そのままズシズシと学食を後にしてしまった。

「あら……キレはった」

取り残された志摩が、勝呂の座っていた席に残された分別途中のゴミに、苦笑《にがわら》いする。

「坊が、ゴミの分別の途中で放っておくなんて、よっぽどやってんなあ。ああ、あないに怒って。頭から湯気が出とるわ」

他の生徒たちが怯《おび》えたように道を開けるなか去っていく勝呂の後ろ姿を見やる。自分のせいであるにもかかわらず、他人事《ひとごと》のような志摩に、子猫丸が、

「志摩さん。あんまり、坊をからかったらあかんよ」

珍しく責《せ》めるような口調で告げる。

「坊は志摩さんと違《ちご》うて、繊細《せんさい》なんやから」

それに志摩が、わざとらしい泣き真似《まね》で答える。

「ひどいわぁ～、子猫さん。俺かて、繊細やん。こう見えて、ガラスのハートなんやで？」

そう言った端《はし》から、自分が食べ終えた弁当箱を、勝呂の分別しかけのゴミと一緒にし、全部まとめてビニール袋に突っこんだ。おそらく、すべて燃えるゴミとして出すつもりだろう。

とても繊細な人間の行動とは思えない。

子猫丸が、やれやれ、と思いながらペットボトルのお茶をすすっていると、志摩が存外に穏《おだ》やかな声で、「坊は真面目すぎるんや」と言った。小さな声だったので、思わず聞《き》き逃《のが》しそうになる。

「え？」

子猫丸が顔を上げると、志摩は両手を頭の後ろで重《かさ》ねた格好で、勝呂の座っていた席を見ながら告げた。

「だから、気張りすぎて、いっぱいいっぱいになって、イライラするんや。奥村《おくむら》くんの時も、出雲ちゃんの時も――」

「…………」

「こういう時くらい、ハメはずしたったって、罰《ばち》は当たらんですやろ？」

椅子ごと背中を後ろに反《そ》らし、志摩が陽気に告げる。そんな友の笑顔に、子猫丸がその表情を緩《ゆる》める。

いい加減そうに見えて、志摩は志摩なりに、勝呂のことを考えているのだろう。

「でないと、しんどいわ。いつか、ポッキリ折れてまうで」

「そうやね」メガネの下の両目をやさしく細め、子猫丸が告げる。「坊も、少しは志摩さんを見習って、楽にしはったほうがええのんかもしれんね」

しかし、その直後、テーブルの脇《わき》を通った女子生徒を見た志摩が、がばっと身を乗り出し、

「子猫さんっ！　今の子、見ました……!?　あの、茶髪のショートの子っ！　めっちゃくちゃレベル高かったですよ!!　くぅ～……さすが、正十字学園や！　ホンマ、ここに入ってよかった～♡」

　キャッキャと興奮する姿に、脱力する。

「なあ、なあ、子猫さん。今の子に頼んで、合コン開いてもらいません？　なあ、なあって――」

「……志摩さん」

　アンタって人は、と深いため息がもれる。

　やはり、勝呂が志摩のようになるのは、少し――いや、かなり考えものだと思う子猫丸であった。

（まったく、志摩《アイツ》は煩悩《ぼんのう》まみれやな……）

勝呂が両肩をいからせながら、学園の中庭を歩く。

色惚《いろぼ》けの志摩は、最初から付き合う前提で話を進めていたが、むろん、勝呂は断《ことわ》るつもりでいる。

自分に好意を持ってくれることは正直、嬉《うれ》しいし、ありがたいとも思う。けれど……。

（俺には果たさなあかん、野望があるんや）

色恋なんぞに割《さ》いている時間があったら、図書館に行って塾の講義で出ている課題に必要な文献を探すべきだ。もしくは、塾のトレーニングルームに行って、筋トレに励《はげ》むとか——どちらにせよ、限りある時間を有意義に使うべきだ。

（軟派な志摩やあるまいに、俺には恋愛に費《つい》やしている時間なんぞ、あらへん）

そう己《おのれ》を律《りつ》し、図書館のある棟《とう》に向かう。

……と、今度はどう言って断ろうかという悩みが頭をもたげてくる。

実は——志摩や子猫丸にも内緒にしていることなのだが——女子から告白されるのはこれが初めてではない。中学の三年間で、四回ほど、こうやって想いの丈《たけ》をぶつけられたことがある。

それを断った際に、四回が四回とも相手に泣かれてしまったのだ。

自分では誠心誠意、やさしく心をこめて断っているつもりなのだが、いかんせん、父親譲りの強面《こわもて》なため、言葉尻《ことばじり》がきつく聞こえてしまうらしい。それがショックだった。

今回は志摩や子猫丸にまで知られているため、是非《ぜひ》でも、今までのような事態は避けたい。

(なんとかして、相手が泣かんように言わなあかんな……)

そんなことを黙々と考えている勝呂の背中に、

「ねえ、ちょっと——」

と声がかかる。

「!?」

明らかに女子生徒のそれとわかる高い声に、思わず直立不動の体勢になってしまう。

(ま……まさか、花村さん……なんか?)

放課後を待ちきれず、声をかけてきたのだろうかと、やおら、胸の鼓動が速くなる。

(落ち着け、落ち着くんや……)

懸命に平静を装《よそお》い、

「——なんや?」

と振り返る。

しかし、そこに立っていたのは、塾生仲間の神木《かみき》出雲だった。それに、半ば《なか》ガッカリ、半ば安堵《あんど》する。そして、ほっと息を吐《は》き出《だ》した途端、直前の己の動揺がすさまじく恥ずかしくなってきた。

「なんで、お前やねん!! まぎらわしいこと、すなっ! このボケ!!」

と、照れ隠しもこめ、出雲に八つ当たりする。すかさず、

「なによ!」

出雲が激昂《げっこう》する。

声をかけただけで怒鳴《どな》られたのだから、当然だ。

「私は、悪魔薬学の授業が教室変更になったから、奥村先生に言われて伝えに来ただけよ。それを、なに、いきなりキレてるのよ? わけわかんない!」

眉《まゆ》を吊《つ》り上《あ》げて、ぷんぷんする出雲に、さすがに悪かったかもしれない、と思いつつも、ケッとそっぽを向く。お互いに短気で気が強いため、どうも素直《すなお》に謝りにくい。この二人は、寄ると触《さわ》るとこんな具合だ。

「お前の間《ま》が悪いんや」

と、この期《ご》に及んで、なおも他人《いずも》のせいにする。出雲の眉がさらに吊り上がる。

「は? わけわかんないこと言わないでよ、このバカ! ゴリラ顔!!」

「はあ？　バカとはなんや、バカとは！　てか、ゴリラ顔ってなんや！」

「なにそれ！　アンタが先に私に『ボケ』って言ったんでしょ？　わざわざ伝えに来てあげたのに、信じらんない！」

出雲は憤懣《ふんまん》やるかたないという口調でそう告《つ》げると、二つに分けて結《ゆ》った髪をたなびかせ、

「とにかく、私は伝えたから！　後は知らないわよっ」

そう言《い》い放《はな》ち、ぷりぷりと去っていく。

その後ろ姿を、

（ホンマ、可愛《かわい》げのない女やな……）

と思っていた勝呂だが、ふと、先ほど志摩が言っていた言葉を思い出す。

『ホンマですって。出雲ちゃんと同じクラスの子やから知ってるんですけど——』

気づくと、

「ちょ……ちょお待ってや、まゆ——神木っ！」

と呼び止めていた。

「なによ？　まだ、なんか文句あるわけ？」

眉間《みけん》にしわを寄せた出雲がケンカ腰に振り返る。それに、反射的にムッとする心を抑《おさ》え、

「お、お前……花村って奴《やつ》と同じクラスなんやて……?」

「はあ?」

肩透《かたす》かしを喰《く》らった出雲が、片方の眉を上げる。「花村って……女子の花村さん? 花村メグミのこと?」

なら、一緒のクラスだけど、と告げる出雲に、勝呂の胸の鼓動がかすかに速くなる。

「ど……どんな子なんや?」

「? はあ? どんなって――」

「か、顔とか、性格とかあるやろ。気働きがええとか、家庭的とか、可愛らしいとか……」

「はああ?」

さらに意味不明という顔になった出雲が、しかし、勝呂の様子がそれまでとは微妙に違うのに気づいて、毒気《どくけ》を抜かれたのか、胸元にかかった髪を払いながら答える。

「花村さんだったら、この時間は図書館にいるわよ。図書委員だから」

「え……?」

まさに、不意打ちだった。

今から自分が行こうと思っていた場所に、彼女がいる。

さしもの勝呂も、仏教でいう『縁《えにし》』のようなものを感じずにはいられなかった……。

正十字学園高等部専用の図書館は、蔦《つた》の葉の這《は》ったレトロな建物でやや使い勝手は悪いが、その古さがイイと、主に女子生徒達からの人気が高かった。

図書館の入り口の側《そば》にある本棚《ほんだな》の後ろに隠れ、出雲が背後の勝呂に教える。

「――ほら、あのカウンターの奥で、本を並べてるのが花村さんよ」

てか、なんで私まで隠れなきゃならないのよ、と小声で怒っている。

いつもの彼女であれば、こんなところまで連れてきて教えるほど、お節介《せっかい》でもお人よしでもない。だが、普段とあまりにも様子が違う勝呂に――不気味さも手伝って、なんとなく案内してしまったのだ。

「これでいい？　じゃあ、私、帰るわよ」

居《い》丈高《たけだか》に告げる出雲の言葉を、勝呂はすでに聞いていなかった。

彼の全神経は、出雲が指さした先で、司書たちに混じって働いている女子生徒の姿に釘《くぎ》付《づ》けになっていた。

黒髪のミディアム・ボブに、すらりとした体型。

色白で、決して派手ではないが、整《ととの》った顔立ち。

どこか憂《うれ》いを含《ふく》んだ、儚《はかな》げな風貌《ふうぼう》。

まさに、白木蓮《はくもくれん》の花を連想させるような可憐《かれん》な少女だった。勝呂の母・虎子《とらこ》の若い時に、どことなく似ている。

「返却ですか？　でしたら、こちらにどうぞ——」

細く、やわらかい声音《こわね》が聞こえる。勝呂の苦手《にがて》な、平坦《へいたん》でやたら語尾を伸ばすギャルしゃべりではない。まるで天使の囀《さえず》りのような声だった。敬語の使い方も、抑揚《よくよう》も申し分ない。

さすがは、志摩の美女センサーに引っかかっただけのことはある。

勝呂の胸が『ドキドキ』から『ドクン、ドクン』に音を変える。静かな室内では、この胸の音が彼女に聞こえてしまいかねない。

鎮《しず》まれ、鎮まらんかい——と、勝呂が己の厚い胸板を片手で叩《たた》く。

「ちょっと……いくら、ゴリラ顔だからって、図書館でドラミングはやめなさいよっ」

勝呂の奇行にぎょっとした出雲が、律儀《りちぎ》に戻ってきて、腕をつかむ。

勝呂は『ゴリラ顔』にも反応せず、

「あ……あの子は、普段、どんな子なんや？」

と視線は彼女に据《す》えたまま、出雲に尋《たず》ねる。

出雲は勝呂の二の腕を放すと、どんな子って……と首をちょっと傾《かし》げてみせた。

「真面目《まじめ》ないい子よっ　成績も優秀だし、おとなしいけど、皆に親切で、面倒見もいいし」

出雲の言葉に、勝呂の胸の鼓動がさらに高まる。もはや、破裂しそうだ。

「ただ……彼女、双子《ふたご》のお兄さんがいるんだけど、それが彼女とは似ても似つかない乱暴者で、この学校には珍しい不良なのよね。それでちょっと悩んでるみたい――」

まるで、どこかの兄弟を思い出させる話よね、と出雲が告げる。

どこかの兄弟の兄のほうが聞いたら、激怒しそうな台詞《せりふ》だが、勝呂の耳には届いていない。

顔も良く、性格も良いなど、奇跡のようではないか。

きっぱり断ろうという決意がぐらぐらと揺らぐ勝呂だった。

✝

それから放課後までの時間――勝呂は己《おのれ》の中に芽生《めば》えた煩悩《ぼんのう》という名の悪魔と理性との間で、葛藤《かっとう》し続けていた。悩めば悩むほど、眉間《みけん》に深いしわが寄り、鬼のような形相《ぎょうそう》になっていく。

「なあ……勝呂の奴《やつ》、どーしたんだ？　なんか、すげー怖《こわ》い顔してねえか？」

「ど、どこか痛いのかな？　勝呂くん……」

「ああ、そっとしといたってや、奥村くん、杜山《もりやま》さん。坊《ぼん》は今、春なんや」

「はあ？　春って、今、皆、春だろ？　ちげーの？」

「ははは。春は春でも別の春やからなあ～」

「春って何個もあるのか？　ヤベ……俺、知らんかった」

「志摩さん……そっとしたってって、言うたやないですか」

「ホントに、アレどうしちゃったわけ？　なんか、変よ。今日……気持ち悪……」


塾生仲間が遠巻きに見守るなか、勝呂はますます恐ろしい顔で黙りこくり、あたかもロダンの『考える人』のごとく悩み抜いたのだった……。


——そして、塾の講義が終わる頃、ようやく結論が出た。

やはり、どんなにいい子だろうと、自分に異性と付き合う余裕はない。

（俺は、寺を再興するんや……そのために、強い祓魔師《エクソシスト》になって魔神《サタン》を倒すんや！）

〝祟《たた》り寺《でら》の仔《こ》〟と呼ばれ、幼い頃からずっとこの胸に焼きつけてきた野望は、こんなことで揺らいでしまうような、そんな軟弱なものではなかったはずだ。

水飲み場の冷たい水で何度も顔を洗い、髪形の気合いを入れ直し、さっぱりした気持ちで裏庭に向かう。かなり早めに着いたので、フェレス卿《きょう》の銅像の前には、誰もいなかった。

勝呂の胸に、再度、悩みが生じる。

どうやって断《ことわ》るべきだろうか。

昼休みにも考えかけていたことだが、出雲と遭遇《そうぐう》したことで、宙ぶらりんのままになってしまったのだ。相手を泣かすことなく、できるかぎり傷つけずに断るには、どうしたらいいのだろうか？

両腕を組んでうんうん悩めども、なかなか良い答えが出てきてくれない。

苛立《いらだ》った勝呂が、乱暴に髪を掻《か》きむしる。

（こんな時に、柔造《じゅうぞう》がおってくれたら……）

志摩の二番目の兄である柔造は、勝呂が知る限り――奥村雪男《ゆきお》を除《のぞ》いて――もっともモテる男だ。勝呂の実家の寺で作務衣《さむえ》姿で家庭菜園の手入れをしていた時でさえ、近くの女学生たちが彼見たさに列をなしていたほどで、十年ほど前、ここ正十字学園に通っていた頃などはファンクラブまであったという話だ。

本人はそういったことに至《いた》って無頓着《むとんちゃく》で、子供大好きのさわやかな青年だった。そこがまた、彼が女性にモテる所以《ゆえん》なのだろう。

（いや、柔造はモテすぎて参考にならん……金造《きんぞう》でも――いや、金造はあかんな）

志摩の四番目の兄である金造は、バンドのボーカルをやっている金髪の青年で、見た目はいかにも女性にキャーキャー言われそうな今どき系の兄ちゃんなのだが、いかんせん、あの奥村燐《りん》並みに頭が悪い。

告白されても、告白されたことに気づかないのがオチだろう。

（ここは、おとなしく奥村先生に相談すべきやったか……いや、それはそれで、なんか屈《くつ》辱《じょく》的な気がするわ……）

そんなことをとりとめもなく考えていると、勝呂の視界の地面に、長い影が映った。

（は……花村さん、なんか!?）

心臓がドキンと音を立てる。

まだ、台詞《せりふ》が――いや、下手《へた》におためごかしの台詞など考えるのは、逆に相手に失礼なのではないか。相手も想いの丈《たけ》をぶつけてくれるのであれば、自分も素直《すなお》な気持ちを、そのまま口にすればいいのだ。

自分にはやらなければいけないことがある。だから、女の子と付き合っている余裕はないのだ、と。

決意し、ぎゅっと両目を閉じる。

「あ……あんな、花村さん、俺な――」

「押忍《オス》、勝呂さん。来てくれたんですね！　嬉《うれ》しいっス!!」

「へ……？」

昼間、聞いたか細い声とはほど遠い野太い声に、肩透《かたす》かしを喰《く》らった勝呂が、訝《いぶか》しげな顔で両目を開ける。

そこには、花村メグミの可憐《かれん》な姿とは似ても似つかぬ、二メートルはあるだろうかという筋肉ダルマの姿が――しかも、その顔に微妙に見覚えがあった。

「！　お前は……」

昼間、子猫丸の話題に上った、二週間ほど前、勝呂にケンカを吹っかけてきて、一蹴《いっしゅう》された男子生徒である。

「ウッス。あの節《せつ》はドーモ。覚えていてくださって、光栄っス」

「てか、なんでお前がここにおんねん!?」

混乱した勝呂が、震える人差し指を突きつける。

それに大男が照れたような顔で、ボサボサの頭を掻く。

「いやぁ～、わざわざ呼び出したりして、サーセン。自分、どうしても、勝呂さんとしゃべりたかったんス」

「は……はあ……?」

事態がまるで飲みこめない勝呂が、ズボンのポケットから、くだんのラブレターを取り出す。

「じゃ……じゃあ、こ、コレは……コレは、なんなんや?」

「あ、それは、自分が出したヤッっス」

「な……え……でも、手紙には、花村メグミって……」

「それで、『ケイ』って読むんっスよ。メグミは、双子《ふたご》の妹っス」

「双子の……妹――」

頭の奥で、出雲がしゃべっていた言葉が蘇《よみがえ》ってくる。


――彼女、双子のお兄さんがいるんだけど、それが彼女とは似ても似つかない乱暴者で、この学校には珍しい不良なのよね。

つまり、この男の双子の妹が花村メグミで、自分に手紙をくれたのは……。

「じゃあ……この字ィは……？」

「あ、その手紙を書いてくれたのも、妹っス。自分、字が下手《へた》なもんで。便箋《びんせん》もメグミがくれたんス」

どうりで、女性らしい文字なわけだ。良い匂《にお》いがすると言った志摩は、花村妹のほうの匂いを無意識に選んで嗅《か》ぎ取《と》ったのだろう。警察犬のような男である。

勝呂の頭の中が、真っ白になっていく。身体《からだ》の奥で、ガラガラと何かが音を立てて崩《くず》れていく感覚があった。

なんや……俺は、今まで何をしてたんや……。何を悩んどんねん。

朝からこれまでの己の葛藤が、走馬灯《そうまとう》のように脳裏《のうり》を駆け抜けていく。

「自分、一発でノックアウトされてから、ずっと、勝呂さんのこと見てたんス。常《つね》に鍛錬《たんれん》を怠《おこた》らない姿勢とか、マジ、カッコイイっス！　憧《あこが》れっス!!」

花村兄が、ぐっと拳《こぶし》を握《にぎ》りしめて暑苦しく告げる。

そして、ガバッとその場に両手をついた。

「自分を、勝呂さん……いや、勝呂の兄貴の舎弟《しゃてい》にしてほしいんス!!」

そう言って地面に頭をこすりつける。

名門高校に似合わぬ、ひと昔前の任侠《にんきょう》ドラマのような光景である。

「使いっパシリでもなんでもやらせていただきますんで、マジ、勝呂の兄貴の舎弟にしてくださいっス！」


——その後、ようやく事態が飲みこめた勝呂が、

「まぎらわしい真似《まね》、すなっ！　このボケがっ!!」

その巨体を再びノックアウトするまで、五秒とかからなかったという。

✝

「——ぶっ……くくく……それは災難やったですね……ぶふふ……」

「志摩さん、笑いすぎや」

神妙な顔を作りながらもこみあげてくる笑いを止められない志摩に、子猫丸が非難をこめた眼差《まなざ》しを向ける。

翌日、学園内の芝生《しばふ》で昼飯をとりながら、ことの顛末《てんまつ》を聞かされた志摩は大笑いし、子猫丸は同情顔で「坊《ぼん》は、昔から漢気《おとこぎ》がありますさかい……」とフォローにならないフォロ

ーを入れた。

むろん、勝呂は終始仏頂面《ぶっちょうづら》である。

あの一撃を喰《く》らってなお、あきらめようとしない花村兄をまくのに、今朝《けさ》から大変だったのだ。あの暑苦しい巨漢が、勝呂の行くところ行くところに現れては、舎弟《しゃてい》にしてくれ、と土下座してくるのだから、それは不機嫌《ふきげん》にもなるだろう。

まだ昼だというのに、一日を終えたようにげんなりしている。

「ぶくく……まあ、今度のことは、ええ機会やったん違いますか？」

いまだ笑いが収まらない様子の志摩が、勝呂の肩をポンと叩《たた》く。

「なにがええ機会や。他人事《ひとごと》だと思ってからに」

普段より二割増しほどキツイ眼光で、勝呂が志摩を睨《にら》む。今にも、グルルルッ……とうなり声が聞こえてきそうな顔つきだ。

志摩が、まあまあ、と告《つ》げる。

「もう少し、肩の力を抜いて生きはったらええゆう、お告げかもしれへんでっせ？」

二度とない青春を過ごしてるんやから、少しは恋愛にも目を向けはってですね……と続けようとする志摩に、

「――いいや」と首を横に振る勝呂。「俺は今度のことで、深く反省したんや」

「はいい？」

「坊？」

志摩と子猫丸が同時に不可解な声を上げるなか、勝呂は利《き》き手《て》をぐっと握《にぎ》りしめた。表面に血管が浮き出ている。

「今回のことは、一瞬でも、恋愛なんぞに目がくらみかけた俺に対する罰《ばつ》や」

「え？」

「そんなもんに現《うつつ》をぬかす暇があったら、鍛錬《たんれん》に励《はげ》み、一日も早《はよ》う立派な祓魔師《エクソシスト》になれゆう、仏のお導《みちび》きや」

握りしめた勝呂の手の中で、割《わ》り箸《ばし》がボキッと折れる。

「俺はやるで！　もっともっと厳しい鍛錬メニューを作らなあかん!!」

「えっ……ずええええーっ……!?　そう来はります!?」

志摩が呆《あき》れ果《は》てた顔で叫ぶ。「今の流れでそれって……ええーっ……ほんま、どれだけですやん!?」

その脇《わき》で子猫丸は、

「さすがは、坊。ご立派ですわ」

と素直に感心している。

「頑張ってください。僕もできるかぎり、応援しますんで」

「おうっ！」

子猫丸の声援に真剣な顔の勝呂が大きくうなずく。

一人、そのノリについていけない志摩は、ぐったりとした面持《おもも》ちで焼きそばパンをかじりながら、「ホンマ、変態やで……」とつぶやいたという。


――そしてまた、普段通り禁欲的かつ勤勉な、彼の日常が始まるのだった。

奥村燐救済会

(……壊滅的《かいめつ》だ)

奥村雪男《おくむらゆきお》は、答案を手に深いため息を吐《つ》いた。ミミズがのたくったような名前の脇《わき》に、赤字で大きく二・五点(二十五点ではない)と書かれた答案は、むろん、彼のものではない。

この答案の持ち主である双子《ふたご》の兄・奥村燐《りん》は、自身のベッドの上で、雪男の買ってきたジャンプSQ.《スクエア》を読みながら涙ぐんでいる。時折《ときおり》、盛大に鼻をすする音がするのが、大変うっとうしい。

というか、はっきり邪魔《じゃま》だ。

そんな場合ではないだろうに、「ありえねえよ……こんなひどい話があってたまるかよ……グスッ」とすっかりマンガの中のキャラクターに、感情移入してしまっている。見かけによらず、感動ドラマや泣ける話が好きなのだ。ちなみに、雪男はコメディものにうるさい。

（――ひどいのは兄さんの頭のほうだよ）

心の中で冷静に兄につっこんで、机の前に並べた兄の答案に再び頭を抱《かか》える。

一番良いものでこの二・五点なのだから、頭も抱えたくなる。他は、〇・三点や、一・二点など、採点した側の苦悩がうかがえるような代物《しろもの》だ。

もともと、兄は、正規にここ――正十字《せいじゅうじ》学園高等部に入学したわけではない。学園内にある祓魔塾《ふつまじゆく》に入るために、理事長であるメフィスト・フェレスが理事長権限で入学させたのだ。つまり、超難関といわれる入学テストをパスしたわけではないのだから、たとえ普通科の授業とはいえ、他の生徒についていけるわけがない。しかし、いくらなんでもこれはひどすぎる。

来週から始まる期末試験の結果によっては、落第すらありうるだろう。

雪男は答案を持ったまま椅子《いす》から立ち上がると、兄の寝ているベッドの前まで歩いていき、ＳＱ．《スクエア》を取りあげた。

「あっ、てめ、俺のＳＱ．《スクエア》返せよ」

「僕のね。――ってか、兄さん。呑気《のんき》にマンガ読んでる場合じゃないのは、わかってるよね？」

自分のものでもないのに猛然と抗議する燐の顔面に、大量の×が羅列《られつ》する答案用紙の束《たば》を押しつけ、雪男が腕組みする。メガネの奥の瞳《ひとみ》がすっと細まる。

「〇・八点、そっちは一・七点……それに至《いた》っては、自分の名前まで間違ってる」

「しょ、しょーがねーだろ？　お前の簡単な『雪男』と違って、『燐』って漢字は難しーんだよ！」

「まあ、百歩譲《ゆず》って、名前をカタカナで書くのはいいとしても、これじゃ、『奥村リン』じゃなくて『奥村ソソ』だよ。ソソって誰？」

「……ぐ」

「それから、この英語のテスト。『RIM OKIMVRA《リムオキムヴラ》』になってるよ。いつから外国の人になったの？」

「…………」

「僕は兄さんの将来が心配だよ」

ため息まじりに告《つ》げ、雪男がメガネの縁《ふち》を押しあげる。

燐はベッドに腰かけた格好で、ピュピュッピュピュ～と口笛を吹いてこの場を誤魔化そうとしている。反省をしているようにはとても見えない。ちなみに、口笛は吹けていない。

しかも、隙《すき》あらば雪男に取りあげられたSQ.《スクエア》を取り返そうとしている。

雪男は切実に、兄の行く末が心配になった。

メフィストが理事長でいるかぎり、どうとでも融通《ゆうずう》は利《き》くだろうが、弟として少しでもまともな成績で学期末を終えてほしい。

今日は金曜日の晩。週明けの期末テストまではあと正味二日ある。この二日で、詰《つ》めこみ型のスパルタ教育を行えば――運だけは強い兄のことだ――赤点をどうにか回避するぐらいは、いけるかもしれない。

だが、ここで問題が一つ発生する。

燐に教える人間だが、当然、雪男しかいない。しかし、雪男は雪男で来《きた》るべき学期末に備《そな》え、やることが山積《やまづ》みだった。ただでさえ、正十字学園高等部特進科の生徒兼、祓魔塾講師として多忙な日々を送っている彼は、週明けまでに、自身の試験勉強だけでなく、祓魔塾のほうで行う期末テストの問題も作りあげなければならなかった。そのうえ、夏休み中の強化合宿における塾生の指導要項の見直しなど、上げなければならないレポートもある。

急遽《きゅうきょ》、祓魔師《エクソシスト》としての仕事が入らないともかぎらない。

とてもではないが、兄の勉強の面倒まで見ていられなかった。

いちばん良いのは兄が自発的に粛々《しゅくしゅく》と学習を始めてくれることなのだが、この様子ではとうてい、望めまい。おおかた、このままマンガを読みふけり、眠くなったらぐうぐう寝

てしまうだろう。明日《あした》も、明後日《あさって》もそんな調子で終わってしまうはずだ。

(しかたない……)

雪男は自身の机に戻ると、携帯電話を手にした。アドレス帳を呼び出す。祓魔塾関係のグループを開き、そのうちの一つを押す。

きっちり三コール以内に相手が出た。

苛立《いらだ》ちに曇《くも》っていた雪男の顔が、表向きのさわやかなそれに変わる。それとともに、声までさわやかになって告げる。

「――あ、勝呂《すぐろ》くん？　講師のほうの奥村です。夜分遅くに申《もう》し訳《わけ》ない。どう？　試験勉強のほうは？　そうですか……さすが、勝呂くんだ。兄さんに君の爪《つめ》の垢《あか》を煎《せん》じて飲ませたいぐらいだよ。いや、実は、折り入って頼みが……」

それから数分後に雪男が電話を切った時、兄はいつの間に取り返したのかSQ.《スクエア》を手にベッドに寝転がり、再び盛大に鼻をすすっていた。

✞

——その翌朝、正十字学園男子寮《りょう》・旧館はいつになく騒がしかった。

正十字学園高等部は全寮制であるので、生徒のほぼ全員が学生寮に入っている。だが、生徒達が寝起きしているのは新しく建てられた新館で、幽霊ホテルと見まがうオンボロの旧館は、現在、奥村兄弟のみで使用している。

その旧館の一室、一〇四号室——彼らが普段使っている六〇二号室とは別の空《あ》き部屋——に集まった顔ぶれは、勝呂竜士《りゅうじ》、志摩廉造《しまれんぞう》、三輪子猫丸《みわこねこまる》、神木出雲《かみきいずも》、宝《たから》……と祓魔塾の一年ほぼ全員である。皆、合宿の時のようにスポーツバッグなどを肩から下げている。

「……つまり、この二日間、皆で奥村に勉強を教えればいい、ゆうことですか?」

皆を代表するように勝呂が尋《たず》ねる。

家具のない寮室は広々……というよりは閑散《かんさん》としていて、中央にいかにも合宿所然とした長机が置かれている。その手前に仏頂面《ぶっちょうづら》の燐が正座させられており、その横に立った雪男があたかも授業中のように穏《おだ》やかに告《つ》げる。

「皆さん、テスト前の貴重な時間をすみません。たぶん、猿《さる》に教えるよりはマシだと思いますので、なんとか兄の力になってやってください。僕は別の部屋にいますが、何かあったら呼んでください。——後で様子を見に来ます」

塾生に向けて頭を下げると、誰が猿だ、と怒る兄に向け、

「兄さん。逃げ出そうとしたら、夜通し蠕石《バリヨン》を抱かせるから、そのつもりでね」

と笑顔で告げ、部屋を出ていく。ちなみに、蠕石《バリヨン》というのは石や岩に憑依《ひょうい》する悪魔で、奇声を上げる以外は無害だが、凄《すさ》まじく重い。それを膝《ひざ》の上に載《の》せられたまま正座をすると、さながら江戸《えど》時代の拷問《ごうもん》のような状態になる。

「さりげに、鬼やな」と志摩。「さわやかに鬼や」

「なんか悪《わり》ィな、お前ら……せっかくの休みだっていうのにさ」

恨《うら》めしげに雪男の出ていったドアを睨《にら》んでいた燐が、ぞろぞろと部屋に入ってきたメンバーに、頭を掻《か》きつつ詫《わ》びる。

「俺のせいで、迷惑かけちゃって」

「――本当よ。いい迷惑だわ」

と、つんとした顔で文句を言いつつも、ショルダーバッグから取り出した大量の参考書を机の上に並べる出雲。参考書の下には、可愛《かわい》いウサギさんのイラストが描かれたノートがのぞいている。

「……ス、スミマセン」

出雲の言葉に小さくなる燐に、

「困った時はお互いさまやで。奥村くん」

と子猫丸がすかさずフォローを入れる。背後の勝呂に視線をやって、

「そうでっしゃろ？　坊《ぼん》」

「まあ、あないに頭下げられたらしゃあないな。助けてやろうやないか」

そう答えた勝呂は、誰よりも大きな荷物をどしんと部屋の隅《すみ》に置いた。参考書や問題集、手書きのノートもさることながら、スポーツバッグから飛び出した木の棒らしきものが、燐をびくつかせた。

（な……なんだ、あの平べったい木刀《ぼくとう》みたいなやつ……アレでどうするつもりだ……）

内心、聞きたくてしょうがないが、聞くのが怖《こわ》い。藪《やぶ》をつついたら蛇《へび》どころか、鬼が出てきそうな気がする。

そわそわしている燐に、勝呂が尋ねてきた。

「ところで、自分、苦手《にがて》なんはどの教科や？　現国か？　古典か？　数学か？　政経か？」

「英語やろ。奥村くん、見るからに英語苦手そうやもん」

志摩が自身の荷物を部屋の壁際《かべぎわ》に置きながら、話に入ってくる。

「この間なんて、自分のこと『ミステイクな男』とか言わはってたもん。なんやねん。ミ

ステイクって」

「ほんなら、英語やな。こういう場合は、下手《へた》に手ぇ伸ばさんと、苦手なもんだけ集中的に勉強すんのがええんや。――他に苦手な教科あるか？」

「えっと、俺の苦手、苦手と」燐が頭を悩ませる。そして、わずかにその声を小さくした。

「全部…………デス」

それに、勝呂が目を剝《む》く。

「全部？　全部って、おま……二日間しかないねんで？　二日間でどないせ言《ゆ》うんじゃ!!」

「ま、まあまあ。皆で教科を分けて教えれば、なんとかなりますよ」

いきり立つ勝呂に、すかさず子猫丸がフォローを入れる。その横で志摩が茶色い封筒を掲《かか》げた。

「そういや、さっき、奥村先生が去《さ》り際《ぎわ》にこれわたしてきよったで」

テストに出そうな問題でも書き出してくれたんやろか、と雪男に手わたされた封筒を開ける。――と、中から、惨憺《さんたん》たる答案の束《たば》が……。

にわかに静まり返る一同。

「一・二点……？」

「なんや、これ。視力検査の結果かいな」

「これって、たった二日間でなんとかなるレベル……？」

呆然《ぼうぜん》とする面々に、さすがの子猫丸もフォローの言葉に詰《つ》まっている。燐がますます小さく縮《ちぢ》こまる。

「――まあまあ、大丈夫やて。奥村くん」

図《はか》らずもその空気を作り出してしまった志摩が、場違いに明るい声で告げる。

「出雲ちゃんはクラスでトップの秀才やし、坊は暗記の変態――いや、天才や。子猫さんは教え方が上手《じょうず》やし、宝くんは……」

そこで、チラリと部屋の隅を見やる。塾生一ミステリアスで無口な宝は我関《かん》せずと、腹話術の人形で遊んでいる。

なぜ、彼がここに呼ばれたのかは、今もって謎である。

「なんか、いろいろすごいかもしれんし」

と、適当に誤魔化し、志摩がびしっと親指を立てる。

「なんとかなるって。明けない夜はないんやで」

「おお」

何かのＣＭのような台詞《せりふ》に燐が、パチパチと拍手をする。勝呂がうさんくさげな視線を志摩に向けた。

「なんやねん、お前。偉そうに言うといて、自分は入っとらんのか。そもそも、お前は他人様《ひとさま》に教えられる立場なんか？」

勝呂の疑問に、志摩が不敵な笑いを浮かべる。

「ふふふ。坊。俺をなめてもらったらあかんえ？　こう見えて俺は中学三年間、保健体育の成績は一二〇点満点や！　な、出雲ちゃん、俺、すごいやろ♡」

「え……いや、そもそも、期末テストに保健体育の試験ないでしょ」

いきなり同意を求められ、出雲がかなり引き気味に志摩を見上げながら言う。心持ち、志摩から上半身を離している。

勝呂が頭が痛そうに志摩を詰問《きつもん》する。

「保体はどうでもええ。他の教科はどうなんや？　案外、奥村《コイツ》と似たりよったりなんちゃうか？」

「あははは。さすがに、そこまで悪ないって。俺は、全教科平均で十五点は取れてますわ」

朗《ほが》らかに報告する志摩に、再び室内がしんとなる。

ただ一人、燐だけは尊敬のまなざしを向けた。

「平均十五点って、俺の何倍だ？　すげーな。志摩、お前、実は頭いい奴《やつ》だったんだな」

「そうやろ？　俺はやる時はやる男と評判やで」

燐の褒《ほ》め言葉に志摩が嬉《うれ》しそうに胸を張る。

勝呂は、あかん、頭痛がする、と言って頭を抱《かか》えた。


——結局、志摩は燐とともに教えられる側にまわることとなった。

窓側の席に燐と志摩が並び、その向かい側に、勝呂、子猫丸、出雲が並ぶ。宝は一応、出雲の隣に座ったものの、皆のやっていることにてんで興味がなさそうだった。

「志摩と奥村は別々に勉強させたほうがええな」

「僕らを二つに分けて、志摩さんと奥村くんに教えるゆうことですね」

勝呂の提案に子猫丸が応じる。

「それとも、それぞれの得意分野で分けましょか？」

すると、それを耳聡《みみざと》く聞きつけた志摩が、

「ほんなら、俺は出雲ちゃんとマンツーマンがええわ〜？」

と俄然《がぜん》はりきりだす。机の向かい側に座っている出雲のほうに身を乗り出し、

「やさしく教えたってな〜。今日《きょう》も可愛《かわい》いなあ。そのキャミソール、めっちゃええなあ♡

お星さんがよう似合ってるで」

と煩悩《ぼんのう》丸出しで告げる志摩のピンク色の頭を、勝呂の手のひらががしっとつかむ。そのまま、グキッと音がするほど力をこめて引き戻した。

「お前はこっちや」

「！　おげっ……坊」

「マンツーマンや」

地獄の鬼のような顔で睨《にら》まれ、志摩がしおしおと打ちひしがれる。そして、助けを求めるように勝呂の脇《わき》の子猫丸に視線を送るも、

「志摩さんは少し煩悩を絶《た》ったほうがええよ」

「子猫さんまで……」

がっくりとうなだれた志摩の前に、勝呂が容赦《ようしゃ》なく問題集の山を築《きず》く。ここからここまでと、無駄《むだ》のない動作でページに印《しるし》をつけていく。

「今から一時間以内で、これを全部終わらせるんや。それが終わったら、教科書の暗記や。ええな。お前が落第するようなことがあったら、俺は八百造《やおぞう》に合わせる顔がない」

「あんまりですやん……こういう時こそ、女の子にやさしく手とり足とり教えられ、やがて二人の間には、ほのかな恋心が……ゆう、ラブコメ的な展開かと思いきや……なんで、

こないなことに」

半泣きの志摩が、なおも、未練がましく出雲のほうに目をやる。

その坊主らしからぬ煩悩の強さに、額《ひたい》に青筋《あおすじ》を立てた勝呂が、

「子猫丸。警策《きょうさく》や。思いっきりいけ」

と命じる。神妙な顔でうなずいた子猫丸が、勝呂のスポーツバッグから例の長い木の棒を取り出す。

寺で座禅を組む際に使われる、気合い入れのための警策である。しかも、かなり使いこまれていた。

子猫丸が志摩の後ろに立ち、自分の背《せ》丈《たけ》近くある警策を振りあげる。それを見た志摩がにわかに青ざめる。

「……ま、まさか、ほんまにはしないですよね？　ポーズだけですよね？　こ、子猫さん？」

「志摩さん、堪忍《かんにん》」

両目をぎゅっと瞑《つむ》って苦しげに告げる子猫丸。しかし、「喝《かつ》！」と叫んだその顔に迷いはなく、直後、
ビシィ――――！

肉を打《う》ち据《す》える、すさまじく重い音が室内に鳴《な》り響《ひび》く。

「ぎぃやあああ……!!」

それを追うように、あたかも虫の大群に遭《あ》ったような志摩の壮絶《そうぜつ》な叫び声が、旧館じゅうに響きわたる。志摩が白目を剝いて机の上に倒れこんだ。

勝呂はそれを気にも留《と》めず、自身の腕時計を見やり、

「あと、五十七分や」

と冷静に残り時間をカウントしている。

「こ、怖《こえ》え……」

隣で起きている惨状《さんじょう》に震えあがった燐が、おたおたと三人から距離を取る。志摩に同情しないわけではないが、今は、例の長い棒が自分に使われなかったことに安堵《あんど》する思いのほうが強かった。

「アンタはこっちよ」

しかし、安堵したのもつかの間、自分を待ちかまえていた出雲につかまる。

「お、おう」

眉間《みけん》にしわの寄った出雲に睨まれ、燐が机の端《はし》で出雲と向かい合って座る。

出雲は自身の手書きノートを燐の前に広げて見せた。

「いい？　数学は数式さえ覚えとけば、なんとかなるのよ。あとは、要領で――」

「うわ、すげえっ、めちゃめちゃキレイに書いてあんじゃねーか」

ノートには教師のように正確な字で、びっしりと必要な数式が書かれている。ところどころラインマーカーが引かれ、時に図解なども書かれたりしていて、いかにも女の子というノートだ。見やすく、わかりやすい。

自分とは雲泥《うんでい》の差のノートの出来に感動した燐が、素直に出雲を褒める。

「お前、なにげにすげえんだな」

「なっ……べ、別に、これぐらい普通よ！　てか、アンタみたいに授業中寝てばっかで、ノートの一つも取ってないほうがどうかしてるのよ!!　アンタ、何のために学校来てるのよっ！」

耳まで真っ赤になった出雲が、さらにたてじわの寄った眉間で睨む。褒めたのに怒られた燐は、

（怖え……）

としきりに身を強張《こわば》らせている。

「じゃあ、この問題からいくわよ？　何してんのよ。早く、シャープペンを持ちなさい！」

「……お、おう」

命じられるままに、燐は調教される動物のように従順にシャープペンシルを手にした。

出雲に怒鳴られながら数学の問題に取りかかっていく。

しかし、その首は何度も左右に曲げられ、問題集はいっこうに進まない。次第《しだい》に出雲の眉間がしわだらけになっていく。

そして、恐る恐るというように尋ねてきた。

「……アンタ、もしかして、九九からわからないんじゃ……」

「いや、わかるぜ。二二んが四、二三が六——」

「八九」

「四十二」

出雲の問いに燐が得意げに答える。

両目をぎゅっと瞑った出雲が、机の上にどんと両手を着く。古い机がみしっと、鈍《にぶ》い音を立てた。

「……八九、七十二よ!」

「アレ? しちじゅうに? 俺、そう言わなかったっけ?」

燐がくせっ毛の頭を掻きながら、笑って誤魔化そうとする。きっ、と出雲がその顔を睨んだ。

「アンタが言ったのは、しじゅうによ、しじゅうに！　正しくは、しちじゅうに！　どうして、八八、六十四の後に、八九、四十二になるのよ？　なんで、減るわけ!?」

「細《こま》かいこと気にするなよ。『ち』が入ってるか、入ってないかの違いじゃねーか。あんまし違くねーよ」

「気にするわよ！　アンタ、わかってんの？　九九って、小学二年生レベルなのよ？　どうやって、この二日間で高校一年レベルにしろっていうのよ!?」

「まあ、頑張れ！　まゆげ」

「アンタが頑張るのよ!!　ってか、なによっ、まゆげって!!」

他人事《ひとごと》のように出雲の肩をポンと叩《たた》く燐に、出雲の怒《いか》りが爆発する。当然、問題集は遅々《ちち》として進まない。

「ええなあ……奥村くん。出雲ちゃんとイチャイチャできて」

その様子に、同じように半強制的に問題を解《と》かされていた志摩が、心底うらやましげにぼやいた。遠くを見るような両目にはうっすらと涙が溜《た》まっている。

「――志摩さん」

こんな時でも女子への煩悩を忘れない志摩に、子猫丸がさすがに呆《あき》れた顔になる。

志摩の向かいの席で腕を組んでいた勝呂が、鬼のような顔を上げた。

「あれがイチャコラしてるように見えるんは、おまえの頭ン中が、煩悩にまみれとるからや。子猫丸、やれや」

子猫丸に向けて顎《あご》をしゃくる。それに子猫丸がこくりとうなずく。志摩が我に返った時には、背後の警策は天高く上がっていた。

「え、え……ちょ、ちょっと待って」

「煩悩退散！　喝!!」

「うぎゃあああ……!!」

再び谺《こだま》する志摩の悲鳴が、窓から入りこんでくる蒸《む》し暑《あつ》い風に包まれ、儚《はかな》くも消えていく。そのまま、白目を剥いて倒れた。

「志摩、死ぬな！　死ぬんじゃねー!!」

「アンタは、自分の問題解いてなさいよ！」

部屋の隅で壁に寄りかかっていた宝が、開いているかいないかわからないような目で彼らを見ると、

「『チッ……うるせェガキどもだぜ』」

腹話術のうさぎの口元をパクパクと動かした。

ちなみに、彼の地声《じごえ》は誰も聞いたことがない。

✝

朝の八時三十分から始め、昼の十二時を過ぎたところで、志摩と燐が同時に音《ね》を上げた。

「あかん！　もう無理や！　暑うて、なんも考えられへん！　脳味噌《のうみそ》、溶けそうや!!」

「俺も……もうムリ……外の空気に当たりてえ……死ぬ」

季節は七月も半《なか》ばである。太陽は燦々《さんさん》と降《ふ》り注《そそ》ぎ、エアコン設備のない旧館はさながら蒸《む》し風呂《ぶろ》状態だった。

ぶっ通しで問題を解《と》かされ続けた二人もさることながら、さすがに教える側にも疲れが見えている。元気なのは、何もしていない宝だけで、どういう身体《からだ》の作りをしているのか、このうだるような暑さにも顔色一つ変えていない。

「――しゃあないな、じゃあ、十分間だけ休憩にするか」

流れる汗をスポーツタオルで拭《ふ》きながら、勝呂が告《つ》げる。

下敷きで首筋をあおいでいた出雲が、ふうっと息を吐《は》く。真っ白なうなじにほつれた髪

が張りついている。

子猫丸もようやく警策《きょうさく》を下ろした。

「ええ……十分って、坊《ぼん》……そんな殺生《せっしょう》な」

「不満なら、五分にするか？　志摩」

「……俺、トイレに行ってきますわ」

志摩が涙を呑《の》んで、すごすごと立ちあがる。そして、外の空気を吸いに出た燐の後に続いて廊下に出た。

古いせいで家鳴《やな》りの激しい廊下をできるかぎり音を立てないように走り、燐の背後に駆け寄る。振り返った燐は、今にも頭から湯気が出そうな顔で、両目の焦点が合っていない。

「おー……志摩……」

「奥村くん、逃げるで」

志摩が燐に耳打ちする。その顔は、決意に満ちていた。

「逃げる？　逃げるって、お前――」

「しっ」

無警戒な燐の声を制し、志摩が周囲を見まわす。

「変態の坊のことや。次の休憩はいつかわからん。今しかチャンスはないで」

あたかもスパイ映画のようなノリで告げる志摩に、燐もいつになく声を落として告げる。

「でもよお、逃げたら囀石の刑って、雪男《アイツ》が……」

「要は、見つからなきゃええねん。どこにおるかわからん人間に、囀石《バリヨン》の刑もあるかいな」


志摩はそう言うと、だって、おかしいやろ、と両の拳《こぶし》をぐっと握《にぎ》った。

「今は夏なんやで？　普通、夏って言うたら、楽しいことがぎょうさんあるウハウハな季節やん。水着の女の子とか、水着の女の子とか、水着の女の子とか、水着の女の子とか、水着の女の子とか――それを、何が悲しうて、こんなサウナみたいな中で、勉強せなあかんのや！　な？　せやろ？　奥村くん」

「オイ。お前、さっきから、水着の女の子としか言ってねえぞ」

「水着の女の子やで!?　水着姿の女の子に敵《かな》うもんは、湯あがりの女の子の浴衣姿ぐらいやで！」

「まあ、気持ちはわからなくもねーっつーか……わかるけどよ」

と、燐が同意する。

そして、二人で顔を見合わせ、無言でうなずく。その顔はいつになく険《けわ》しく、固い決意に満ちていた。

どちらともなく、寮《りょう》の玄関へと向かう。

そんな二人の肩に、みしっという嫌《いや》な音とともに、いかつい手のひらが載《の》った。

「――お二人さん、どちらまでや？」

いやにやさしげな声音《こわね》と、ゴリラ顔負けの手の力のギャップが怖《こわ》い。

青ざめた二人が、恐る恐る振り返る。

果たして、そこには、いまだかつて見たこともないほど穏《おだ》やかな笑顔を浮かべた勝呂が立っていた。

「す、勝呂……よ、よう。元気か？　今まで会ってたけど……」

「ぼ、坊……どないしはったん？」

「あの暑さやろ。俺も外の風に当たろ、思ってな。それから、志摩、トイレはそっちやないで」

勝呂が笑顔のまま答える。志摩のこめかみを冷たい汗が伝う。

「あ、そ、そうやった、そうやった。トイレはあっちや。俺うっかりさんやなあ～」

「あ、あははは……志摩、バカだなあ～……迷子かよ。ダセェ」

燐が合いの手を入れ、うやむやにしようとするも、

「まさか、逃げ出そうとしてたわけやあらへんよな？」

「「!!」」

笑顔のまま、勝呂が声だけを低くする。二人の顔がピキッ……と音を立てて凍《こお》りついた。

「……誰のために、皆が汗だくで頑張ってるかわかってへんようやのう」

蛇《へび》に睨《にら》まれた蛙《かえる》のように動けなくなった二人に、勝呂が一転、地獄の鬼も裸足《はだし》で逃げ出すような憤怒《ふんぬ》の形相《ぎょうそう》で告げる。

「今、おとなしう部屋に戻れば、問題集一冊追加で勘弁《かんべん》したる。戻らんのやったら、俺にも考えがある。なあ、どっちがええ？　好きに決めや」

青筋《あおすじ》の立った両手の関節をボキボキ鳴らす勝呂に、

「モドリ」

「マス」

機械的な音声で切れ切れに答え、うなだれた二人が、売られていく子牛のような表情で廊下を戻っていく。

どこからともなく『ドナドナ』の悲しげなメロディが聞こえてきそうな、ある夏の昼下がりだった。

✝

――それから後、雪男がお昼ご飯の差し入れを持ってきた時以外は、ほぼ休みなしで問題を解《と》かされ、午後五時を報《しら》せる哀愁《あいしゆう》漂うメロディを聞いた勝呂が、

「ほな、三十分くらい休憩にしようか」

と言った時には、燐も志摩も逃げ出す気力すらなくなっていた。

ぐったりと床、ないしは机の上に倒れこむ。もはや、三十分をとやかくいう声も、休みを喜ぶ声すらない。

いつしか、窓から差しこむ日差しは赤く染《そ》まり、入ってくる風も幾分《いくぶん》、暑さが和《やわ》らいでいた。

「さすがに、疲れたわね……」

そう告《つ》げた出雲が、やや乱れた髪を解き、ポニーテールに結《ゆ》い直す。いつもならば上がるはずの志摩の桃色《ももいろ》の声が上がらない。――いや、本当は全身で嬌声《きようせい》を上げたいのだろうが、その力すらないのだ……。

そんな精も根も尽《つ》き果《は》てた志摩に、警策《きようさく》を机の脇《わき》に置いた子猫丸が、

「最後のほうは、警策いらんかったですね」

「子猫さん……俺から煩悩《ぼんのう》取ったら、何が残る思うてはるんや……」

息も絶《た》え絶《だ》えの志摩が血の涙を流さんばかりに告げる。

燐は床に大の字に倒れたまま、頭から湯気を出してうなっている。それをまたいで、勝呂が出雲の側《そば》に寄る。

「おう、神木。そっちはどないな具合や？」

「こっちは、ようやく九九を覚えたとこよ」

床でのびている燐に視線をやりながら、出雲が眉間《みけん》にしわの寄った顔で答える。真っ赤な顔で白目を剝《む》いていた燐が、うわ言のように、四二が八、四三、十二とうめいている。しかも、四五、十、と間違える。

だから、どうして減るのよ！　と出雲が怒《いか》りかけ――気力が果てたのか、がっくり肩を落とした。

「……先が思いやられるわ」

「前途多難やな」

勝呂がこめかみを押さえながら告げる。

そんな様子を部屋の隅《すみ》で見ていた宝が、

「『チッ……バカなガキどものせいで、こっちはとんだ迷惑だ』」

とパペットのうさぎに言わせる。

それに勝呂が、なんやと、といきり立った。

「お前、何もやってないやろうが！ つーか、お前は何しに来たんや!!」

「ま、まあまあ」

子猫丸がすかさず勝呂をなだめる。

「皆さん、疲れてはるんですよ。夕ご飯は、また奥村先生が持ってきてくれはるようなこと言ってましたし、何かアイスでも買ってきますわ」

「ああ、すまんな」

勝呂が礼を言い、その脇で倒れている燐が、今にも死にそうな声で、ゴ、ゴリゴリくん……とうめく。

「はいはい。奥村くんは、ゴリゴリくんやね」

と子猫丸が笑いながら入口に向かう。建てつけの悪いドアを開けると、そこに、塾生の最後の一人である杜山《もりやま》しえみの姿があった。

塾以外では着物姿の彼女は、今日も花柄《はながら》の愛らしい着物をまとい、両手に何か大きな木のトレイのようなものを持っている。その上には、千鳥格子《ちどりごうし》の布巾《ふきん》が被《かぶ》せてあった。

「あ、三輪くん」

「あれ？　杜山さん？　どないしはったん？」

「おお、ホンマに杜山さんや」

「し……しえみ……？」

子猫丸の声に、部屋の中の視線が集中する。あがり症のしえみは真っ赤に染まった顔で、懸命にしゃべった。

「あ、私、雪ちゃんから、皆のこと聞いて――」

昼間、彼女の実家である祓魔《ふつま》用品を扱う『フツマヤ』を訪れた雪男から、この合宿のことを聞き、夕ご飯は自分に持って行かせてくれ、と頼んだという。

「私、学校のほうには通《かよ》ってないから、お勉強は手伝えないけど、お料理なら……皆の役に立てるかなと、思って……」

最後のほうは自信なさげに尻《しり》つぼみになってしまう。トレイを持つ手がちょっぴり震えている。それを子猫丸が預《あず》かり、室内の皆に聞こえるように告げる。

「皆さん、杜山さんが、夕ご飯、作ってきてくれはりましたよ」

その声に、床にのびていた燐が、がばっと復活する。

「やったー、めじ〜」

「さすが、杜山さんやわ〜。女の子の手作りご飯やなんて……ホンマ、後光が見えるわ」

志摩がしえみに向けて両手をこすり合わせる。

「ありがとうな。杜山さん」

勝呂が笑顔で礼を言う。

そんな皆の反応に、しえみが真っ赤になって両手で顔を覆《おお》う。

「そ、そんな大したものじゃないの……見た目も悪いけど……でも、今日はいつもよりずっと良くできたんだ」

「楽しみやねえ」

子猫丸が布巾の被さったトレイを軽く持ち上げながら、告げる。その瞬間、中からボコボコ、オオオオ……という料理にあるまじき音がしたが、幸か不幸か、子猫丸の耳には届かなかった。

「メニューは何やの？」

「えっと、おばあちゃんからおそわったハーブクッキーと薬草シチュー。わ、私、これがいちばん得意なの」

しえみが恥ずかしそうに告げる。

「よっしゃー、来た来た来たで！　女の子の手作りシチューにクッキー‼　くぅ……まさしく、男の夢そのものやないか!!」

しえみの答えに、志摩がガッツポーズのうえ、感涙《かんるい》する。

「……ホンマ、生きててよかったわあ」

あれだけ警策で叩《たた》かれたというのに、すでに煩悩が戻り始めている。

「あと、ハーブティも持ってきたんだ。大きなポットで持ってきたから、いっぱい飲んでね」

「おー、なんかよくわかんねーけど、うまそー」

机の奥から身を乗り出していた燐——ハーブが何かよくわかっていない。肉だったらいいな、とか思っている——が涎《よだれ》を垂《た》らしながら喜ぶ。シャツの下に隠している尻尾《しっぽ》が、思わずパタパタと揺れそうになる。

その隣で、

「身体《からだ》に良さそうやな」

勝呂も嬉《うれ》しそうにしている。

「じゃあ、これ、机の上に置きますね。この参考書、どけてええですか?」

子猫丸がしゃがんで、机の隅にトレイを置く。

「あ、三輪くん。私も手伝うよ」

「机、拭《ふ》いたほうがええですかね？」

皆（宝以外）がいそいそと机の上のものを片づけ始めるなか、出雲だけは、布巾の下から漂う尋常《じんじよう》ではない臭気《しゆうき》と、時折《ときおり》もれる奇怪な音に気づいていた……。

✝

「——さて、これで、レポートは終わった」

雪男がパソコンから顔を上げ、疲れた目頭《めがしら》を軽く揉《も》む。集中してしまうと、つい寝食を忘れて没頭してしまうのが悪い癖だ。

窓の外に赤く染《そ》まった空が見える。

腕時計を見ると、すでに五時過ぎだった。

雪男は椅子《いす》の上で軽く伸びをした。目だけでなく、肩もだいぶ凝《こ》っている。

「兄さん達の様子はどうかな？」

昼にコンビニの弁当を差し入れて以降、勉強会の行われている部屋には立ち寄っていない。夕飯はしえみが持っていってくれると言っていたから、自分は様子を見に行きがてら、飲み物とお菓子でも買っていこうと、携帯と財布《さいふ》を持って立ちあがる。

彼らがいる一〇四号室は一階なので、どんなにボロい作りでも、雪男のいる六階までは物音が聞こえてこない。

寮《りょう》の玄関を出る際、耳をすましてみると、廊下の奥からわいわいと楽しそうな声が聞こえてきた。どうやら、しえみも来ているらしい。皆で晩ご飯の真っ最中なのだろう。

雪男は微笑《ほほえ》んで、寮を出た。

夕暮れの正十字学園内を、最寄《もよ》りのコンビニまでそぞろ歩く。あれほど熱気を帯《お》びていた風が、今では幾分《いくぶん》涼やかに乾いている。

初めはどうなることかと思っていたが、昼間様子を見たかぎりでは、兄は真面目《まじめ》に勉強しているようだった。粛々《しゅくしゅく》というよりは出雲と勝呂に睨《にら》まれ切羽《せっぱ》詰《つ》まった感じだったが、あれならば逃げ出す心配もないだろう。

どういう経緯《いきさつ》か、志摩まで教えられる側にまわっていたが――それ以外は、とりわけ問題なさそうだった。勝呂は責任感が強いし、子猫丸はよく気が利《き》く性格で、出雲は真面目な努力家だ。

皆に勉強を見てもらうというのは、今になっては結果論だが、良いアイデアだったかもしれない。

『アホか、お前は！　〝源氏《げんじ》物語《ものがたり》〟の作者が、なんで〝光GENJI〟やねん！　自伝か』

『そやけど、たしか、金兄《きんにい》がそないなこと言うとった気がして……』

『金造《きんぞう》はお前とおっつかっつのアホやろうが。それに、〝方丈記《ほうじょうき》〟の作者が〝ほうじょうさん〟って、おまえ、どんだけやねん』

『怒らんといてや。坊《ぼん》。ちょっと間違えただけやねん』

『ちょっと？　かすりもしてへんやろ!!　〝源氏物語〟の作者は、紫式部《むらさきしきぶ》。〝方丈記〟は鴨長明《かものちょうめい》やろ』

『おー、すげえ!!　勝呂、お前、やっぱ頭いいんだな』

『アンタはそんなこと言ってる場合じゃないでしょっ！　この答え、なんで小数点が二個もあんのよ？』

『？　しょーすうてん……って、なんだっけ？』

『──っ！　あー、もうイヤ……！　これなら、猿《さる》に教えるほうがよっぽど楽だわ』

『あー！　出雲ちゃん、今の、〝あー、もうイヤ〟っていう言い方、めっちゃエロ可愛《かわい》かったで！　なあ、もっかい言ってや～♡』

『ちょ……』

『子猫丸、かまわん。失神するぐらいのキツさで、やったれ』

『南無三《なむさん》!!』

『え……ちょ、ちょっと、すでに〝喝《かつ》〟も言ってないやないですか……あ、ひっ……ひぎゃあああ――――!!』


「ふふ……」

コンビニで差し入れのジュースを選びながら、昼間、ドアの前で聞いた会話を思い出し、笑ってしまう。と、背後から、

「なんだよ。この、ビビリー・ド・メガネ。一人でにやにや笑って、気持ち悪《わり》ぃぞ。ついに脳味噌《のうみそ》がわいたか?」

無遠慮な声がかかる。

亡《な》き養父・藤本獅郎《ふじもとしろう》の元弟子であり、燐の監視役であり、雪男の上司でもある霧隠《きりがくれ》シュラである。ちなみに、十八歳♡――と本人は言い張っているが、二十六歳。口が悪いが巨乳で、常《つね》に目のやり場に困るような露出度の高い服装をしている。この時の格好も、太ももあたりまでしかない薄手の着物で、ほとんど……というか、完全に寝巻き姿だ。

他の客がぎょっとした顔で、少なくとも二回は振り返っていく。

「いえ、これには――って、誰ですか? そのビビリーなんとかというのは」

雪男が澄《す》まして答える。ここでうっかり普通に答えてしまうと、変な仇名《あだな》が定着してしまう。

「シュラさんは、今まで何してたんですか？」

「寝てた」

やはり寝巻きのようだ。

シュラは眠そうな顔で欠伸《あくび》を噛《か》み殺《ころ》しながら、自身のカゴに正十字麦酒《ビール》と各種チューハイを放り入れた。おおかた、起きぬけの一杯か、もしくは食後のお楽しみのためのものだろう。見た目からもわかるように、かなりの酒豪《しゅごう》だ。しかも、無類の酒癖《さけぐせ》の悪さで、一緒に飲んだ人間は大変な目に遭《あ》わされる。未成年のため、一緒に飲んだことこそないが、雪男も何度それで迷惑を被《こうむ》ったかわからない。

「なんだ、ビビリ。ずいぶん買うな」

シュラは雪男のカゴをのぞき見し、キシシと笑った。「その齢《とし》でパシリかにゃ？　成長ねーな、お前」

「違います。だいたい、僕をパシリにしてたのは、あなただけでしょう？　これは、差し入れです」

「差し入れ？」

シュラが首を傾《かし》げる。

雪男が勉強会のことを教えると、

「アイツにものを教えるのは、猿《さる》に教えるより大変だぞ」

と言ってボサボサの頭を掻《か》いた。

再び、欠伸を噛み殺しながら、シュラが尋《たず》ねてくる。

「ところで、なんでお前はさっき、不気味に笑ってたんだ？」

「いえ……」

雪男がわずかに口ごもる。いつもの彼であれば、このまま笑って適当に流してしまっただろう。だが、この時はなんとなく、素直《すなお》な気持ちになっていた——。

「……ああいう風に、兄がクラスメイトの中にいるのは珍しいんです」

中学時代の燐は、己《おのれ》の力を制御できず、時おり、それを爆発させてはまわりから恐れられ、常《つね》に集団から孤立していた。

遠足や文化祭はもちろん、修学旅行にすら参加していない。

雪男は雪男で、祓魔師《エクソシスト》としての任務があるため、級友とはそれほど深入りしなかった。

それなりに要領よく付き合ってはいたが、思い出らしい思い出はほとんどない。

だが、兄はそういった仲間との触れ合いを求めていたような気がするのだ。

「ですから、父が今の兄の姿を見たら……――」

喜ぶだろうと思った、という言葉を飲みこんで、雪男が頬《ほお》を緩《ゆる》める。

シュラはそんな雪男の様子に、珍しいものでも見たような顔をしていたが、やがて、にっと笑うと、いつもの調子で雪男の後頭部を軽く叩《たた》いた。

「――お前、これ以上、老成するとハゲるぞ」

†

自宅に戻るシュラと別れ、雪男が学生寮《りょう》の旧館に戻った頃には、だいぶ日が陰《かげ》っていた。

まだ暗くない空に、うっすらと一番星が光っている。時計を見ると、五時五十分をいくらか過ぎていた。

もう、皆、夕食を食べ終えた時分だろうか。

軋《きし》む廊下を歩いて一〇四号室の前まで行く。荷物を左手にまとめてドアを叩《たた》いたが、返事がない。

ドアの向こうに先ほどの賑《にぎ》わいはなく、静まりかえっている。

ケンカでもしたのだろうか？

不審《ふしん》に思った雪男がドアを開けると、まず、むっと鼻をつくような異臭《いしゅう》がした。その奥で、皆が青ざめた顔でお通夜《つや》のように座っている。その中央に燐と志摩がおり、それぞれ机と床に倒れこみ、白目を剝《む》いている。志摩などは口から泡を吹き、今にも魂魄《こんぱく》が口からもれ出しそうな雰囲気だ。

ちなみに、しえみの姿はない。

「こ……これはいったい」

さすがの雪男も判断しかねた。いちばん近くにいる子猫丸に問いかける。

「三輪くん、これはいったい。兄——奥村くんと志摩くんに何があったんですか？」

「あ、奥村先生……いらっしゃってたんですか」

自身も心持ち苦しそうな顔をした子猫丸が雪男を振り返り、事の次第《しだい》を説明した。

「杜山さんが差し入れを持ってきてくれはったんですけど——」

しえみの持ってきてくれた料理は、身体《からだ》には良いのだろうが、万人には受け入れがたい味だった（やさしい子猫丸は「なんというか……奇想天外な味で」と言葉を濁《にご》した）。

「え……でも、皆さんも食べたんですよね？」

「はあ……まあ、そうなんですけど」

例の異臭からいち早く窮地《きゅうち》を察した出雲は、

『あ、あたし、少しでいいわ。ダイエットしてるからっ』

と素早く先手を打ち、頑強な精神力を備《そな》えた勝呂は、

『――修行《しゅぎょう》だと思えば食えんことはない』

というスタンスと、なにより〝女を泣かしたらあかん〟というモットーで、黙々と咀嚼《そしゃく》し、子猫丸もこれに倣《なら》った。

パペットにスプーンを持たせ、むしゃむしゃと食べていた宝には、これといった変化は見られず、また一つ謎を深めたそうだ。

「志摩さんと奥村くんは、初《しょ》っ端《ぱな》から、『大盛り！　むしろ、特盛りで!!』言わはりまして……」

二人とも、ひと口食べて青ざめたらしいのだが、しえみがキラキラした目で見守っている以上、残すという選択肢《せんたくし》はありえず、もはや根性だけで食べきったという。

「僕には二人が勇者に見えました」

「そうですか、そこまでまず……いや、それで、しえみさんは？」

「杜山さんなら――」

しえみは皆が――というか、実際には、ほとんど燐と志摩が、なのだが――残さず食べ

きってくれたことに大喜びし、異臭を放《はな》つ焼《や》け焦《こ》げた物体を押しこむために大量に消費されたハーブティ（ちなみに、これは普通の味だったという）のお代わりを取りに、フツマヤに戻ったそうだ。

子猫丸いわく、燐と志摩の勇者たる所以《ゆえん》は、きっちり、しえみの姿が見えなくなった後で悶絶《もんぜつ》したところだという。それまでは、青黒く変色した顔を引きつらせつつも、

『う……うめーぞ、じえみ……』

『……あ、あかん……美味《おい》しすぎて……なん、か……泣けてきたわ、ぁ……』

なんとか笑顔らしきものを浮かべていたそうだ。

「まあ、身体にええもんばっかり入っとったから、腹壊《こわ》す心配はないやろ。むしろ、調子良くなるんちゃうか？」

と勝呂。さすがに同情気味な顔をしている。

「二人とも、僕らよりいっぱい食べたゆうんもあるんでっしゃろうけど、女性の手料理ゆうことで……その、期待とか夢とかが強すぎはったみたいで……それが逆に……」

絶望を深くしたのだろうと、子猫丸が気の毒げに二人を見やる。

ひたすら、う～っ、とうめいている兄の脇《わき》で、

「……う、嘘《うそ》や……女の子の手作り料理が……こんな味やなんて……嘘や」

半分意識のない状態の志摩が、いまだ煩悩《ぼんのう》多い涙を流しているのを見るに、子猫丸の見解もあながち的外《まとはず》れではなさそうだ。

卓上や床の上に転がったそれぞれの手足が、時おり、思い出したようにぴくんぴくんと痙攣《けいれん》する様《さま》を、雪男はなんともいえぬ表情で眺《なが》めていたが、ふと——、

「勝呂くん、神木さん。二人の進み具合はどんな感じですか？」

「——微々たるもんです。というか、まるっきり足踏み状態ですわ」

勝呂が思い出したように苦《にが》い顔をする。星の散らばったハンカチで口元を覆《おお》っていた出雲も、

「いまだに九九を間違えてます」

と燐の惨状《さんじょう》を伝える。

それを聞いて、何事か考えていた雪男が、倒れている二人のもとにゆっくりと歩み寄り、腰を屈《かが》めた。息も絶《た》え絶《だ》えの二人が苦しげに視線を上げる。

「ゆ……雪男……お、俺はもうダメだ……さ、最後に……腹一杯……ス、スキヤキが食いたかっ……た」

そう言って燐が再び白目を剥く。その隣で机に突《つ》っ伏《ぷ》していた志摩が、

「お……俺も、もうあかん……さ……最後に、可愛《かわい》い女の子と……○×△したかっ……

た」

伏《ふ》せ字《じ》の入るようなことを告《つ》げ、無念そうに眼を閉じる。

「意外に元気やないか」

「意外に元気じゃない」

勝呂&出雲が呆《あき》れ顔《がお》で告げる。

雪男は無言でメガネの中央を押し上げると、精根尽《つ》き果《は》てた二人に向け、これ以上ないほど穏《おだ》やかな声でささやいた。

「――奥村くん、志摩くん。起きてください」

「……スキヤ、キ……？」

「女の、子……連れて、きてくれはるんです……か？」

燐と志摩が虚《うつ》ろな目を向ける。

まさか、と笑った雪男が、その目の前に山のような問題集を積《つ》みあげる。そして、笑顔のまま、悠然《ゆうぜん》と言い放った。

「明日《あした》の朝までにここまで、昼までにこれとこれとこれ、夜までにこれ全部を終わらせ、かつ完璧《かんぺき》に答えを覚えない場合、また、しえみさんに差し入れをお願いしようと思っているんですが――――いかがですか？」

「――いやあ、絶景ですな☆」

　正十字学園高等部の廊下に張り出された紙面を前に、理事長メフィスト・フェレスが告《つ》げる。

「志摩くんはともかく、あの奥村くんまでが追試を免《まぬが》れるとは……」

『学期末試験追試生徒一覧』と記《しる》された紙面の中に、二人の名前はない。

　ギリギリのところで赤点を免れたのである。

「いったい、どんなマジックを使ったんです？」

　メフィストがチラリと横に立つ雪男を見やる。

「いえ。僕というかしえみさんのお陰《かげ》です」

「ほう……フツマヤの娘さんの？　それはまた、どのような意味でですかな？　奥村先生」

　そのたぶんに好奇心にまみれた視線を軽く受け流し、雪男は唇《くちびる》の前に人差し指を立てた。

唇の端《はし》を上げ、メガネの奥の目をそっと細める。

「これ以上は、企業秘密です」

——ちなみに、この合宿を境に、塾生たちの彼への評価が、『意外に腹黒い』『さりげに、鬼』から、『むしろ鬼』『冷血』『偽善者《ぎぜんしゃ》』『いや、むしろ、外道《げどう》』となったことはいうまでもない。

フェレス卿の優雅な一日

皆さん、はじめまして。

私《ワタクシ》、メフィスト・フェレスと申します。物質界《アッシャー》を、とりわけニッポンを愛し、『侘寂《ワビサビ》の心』『侍魂《サムライスピリッツ》』『萌《モエ》』を追求する紳士です。こう見えて、正十字騎士團《せいじゅうじきしだん》の名誉騎士《キャンサー》――つまり、祓魔師《エクソシスト》でもあります。ヨハン・ファウスト五世という表向きの名で正十字学園の理事長も務《つと》めておりまして……おっと、失敬。くだんの祓魔塾の塾長も兼任しておりますよ。もちろん。

たまに、愛らしくかつ賢《かしこ》い犬の姿になって授業を見学したりもします。なにせ、今年度から実にユ、ニ、ー、ク、な、塾生が入ったもので。私の友人の養い仔《やしなご》なのですが、これが笑える少年でして――いや、話が逸《そ》れましたな。失敬。

本日は、そんな私のゴージャスでセレブな一日を皆さんにお見せしましょう。物質界《アッシャー》初公開ですので、どうぞお見逃《みのが》しのないよう……。

それでは、1《アインス》、2《ツヴァイ》、3《ドライ》♪

✝

——AM07:05

私《ワタクシ》の住居《すまい》は正十字学園の最上部にあるので、眺《なが》めは最高です。特に窓から差しこむ朝日は素晴らしい。

虚無界《ゲヘナ》出身の身にはいささかまぶしくもあるのですが、私、このまやかしのように美しい朝日が大好きなんです。夜、深い闇《やみ》に覆《おお》われる物質界《アッシャー》と同じぐらいに。

いやいや、また話が逸《そ》れましたな——。

充分な睡眠は脳を活性化させ、お肌《はだ》に適度な張りを与えるそうです。かくいう私も先ほどたっぷり一時間の睡眠をとったのですが、どういうわけかあまり気分がよろしくありません。ぶっちゃけ、不機嫌《ふきげん》です☆

はて、なぜでしょう?

……ああ、昨日《きのう》、弟のアマイモンに、レア物のゲームソフトを壊されたせいですな。この不愉快さは。まったく、あの弟は手癖が悪くていけません。あのソフトがマニアたちの間で、どれほど持《も》て囃《はや》されていることか！　知らぬこととはいえ、赦《ゆる》しがたい不始末です。

——あ、余談ですが、私、部屋でくつろぐ時は浴衣《ユカタ》と決めています。かの侍《サムライ》も袖《そで》を通したというニッポンの心。この国の奥深さを知るのに役立つのではと、来日してすぐに柄違《がらちが》いで百枚ほど作らせました。今ではその三倍ほどあります。いちばんのお気に入りは、この星空をイメージした〝メフィストピンク〟のきらびやかな浴衣です☆　むろん、すべて私・メフィストのデザインによる特注《オーダーメイド》です。世界中のどこにも流通しておりませんので、あしからず。

「フェレス卿《きょう》、お目覚めでしたら、ご朝食をお持ちいたします」

おや。私の優秀な部下が早くも私の起床に気づいたようです。

「今朝《けさ》は、イングリッシュモーニングとアメリカンブレックファーストのどちらにいたしましょうか。もしくは、京《きょう》の料亭の朝食をコンコルドでお取り寄せいたしますか？」

うーん、今日は、ぬくいコーヒー牛乳《カフェオレ》も淹《い》れたてのコーヒーも、上品な味の鱧《はも》のお吸い物も飲みたい気分ではありません。さて、困りましたな。

「では、中華粥《がゆ》などを主にした薬膳《やくぜん》料理はいかがでしょうか？」

イマイチ、そそられませんねえ。

「フォーやパパイヤサラダなどに？」

もっと、こう、私の心にぐっとくるような魅力的な朝食を食べたいといいますか……こういう時はとっておきのオーダー方法があります。

「今朝は〝メフィストモーニング〟で、頼む」

「かしこまりました。すぐにご用意いたします」

優秀な部下は一礼して去っていきます。実に結構です。優秀な部下に求められる要素は、寡黙《かもく》であり出しゃばらず、主人の命令に絶対服従であること。これに尽《つ》きます。間違っても、栄養バランス云々《うんぬん》や不《ふ》摂生《せっせい》云々など、お母さん的なことを言わない人物でなければなりません。

そういえば、先日、アマイモンが〝正十字学園名物・バクダン焼き〟を旨《うま》そうに食べていましたね。まあ、アイツは美食家の私と違い、雑食このうえないのですが。ふむ……他人が食べているものが美味《おい》しそうに思えるのは、物質界《アッシャー》も虚無界《ゲヘナ》も、人間も悪魔も変わりませんな。

優秀な部下を呼ぶと、すでにハンバーガーやカップ麺《めん》、各種ケーキにスナック菓子を積《つ》んだメフィストピンクのワゴンを押して入ってきました。その中にはバクダン焼きの姿も

見えます。素晴らしい。私としたことが、優秀な部下の条件の重要な一つを挙《あ》げ忘れていました。

勘《かん》が鋭いこと。無用なストレスを生まぬためにも、これは外《はず》せません。

「お呼びですか？」

「――いや、問題ない」

私の答えに、部下は一礼すると、無駄《むだ》な疑問を差《さ》し挟《はさ》むことなく、テーブルのセッティングを始めます。

いやはや、窓いっぱいに差しこむ穏《おだ》やかな日差しに彩《いろど》られた机の上に、好きな食べ物が並べられていくのを眺めるのは、なんとも心地良い朝の一時《ひととき》ですな。

「本日の予定ですが、午前十一時よりヴァチカンの正十字騎士團本部で、会議が入っております」

食事が終わり、私が正装に着替えるのを待って、部下が本日の予定を口頭で確認してきます。

ちなみに、私の正装は正十字騎士團の團服ではなく、私の私による私のための特注です。

私、とりわけこのメフィストピンク地に白の水玉を散りばめたスカーフが気に入っており

まして……それから、このスーツのボタンとレギンスは同じ柄なんです☆

おや、またしても、話が逸れてしまいましたな。

ヴァチカンの本部で会議ですか。

騎士團に巣食《すく》う老害――おっと、これは悪言《あくげん》ですね。私としたことが――もとい、暇を持て余し、己《おのれ》の権力にしがみつく御老体がたの相手とは、なんとも気が進みませんね。せっかくのさわやかな朝が台無しになってしまいそうだ。これはいけません。

「私は、急な用ができたと伝えてくれ」

「本日の会議は、新《あら》たな『聖騎士《パラディン》』を決めるうえで、重要な話し合いの場となるとお聞きしておりますが」

「藤本《あの男》亡《な》き後、今いる祓魔師《エクソシスト》の中から聖騎士《パラディン》を決めるとすれば、十中八九、エンジェルになるだろう」

温室栽培《さいばい》の彼は藤本《ふじもと》には遠く及《およ》ばないが、若く、騎士團に従順で、扱《あつか》いやすい。

「あくまで形式的なものだ。形だけの会議に意味などない」

「……ですが」

「御老体がたが私を招集したいのは、例の一件を探りたいからだろう。うるさい蠅《はえ》は放っておくに限る」

下がっていい、そう告《つ》げると、部下は私の顔を見て、一瞬、怯《おび》えたような表情になりましたが、すぐに元の無表情に戻ると、深く一礼して部屋を去りました。

実に喜ばしきことです。

これ以上、要《い》らぬ口を叩《たた》くようであれば、前任者のようになっていたでしょうから。せっかく慣《な》れてきたところで、新たな部下に替わるのはいろいろと面倒ですからね。私としても望むところではないんです。

——さて、会議がなくなって空《あ》いた時間をどう使いましょうか。お仕事というのもなんですし、理事長といえどたまには骨休みもせねばなりません☆

ここは、やはり、昨日《きのう》アマイモンに壊されたソフトを探すことにしましょう♪

——AM11:30

ないですねえ……。

Amazan や Yahaa! のオークションにも出品されていません。

一応、私《ワタクシ》がやっている nixi のブログや witter にもつぶやいてみましたから、そこから情報が来るのを待つとしましょうか。

その間、やることがありませんな。本部からの書類も溜《た》まっていることですし、そろそろ真面目《まじめ》にお仕事などしましょうか。

………。

そういえば、昨日《きのう》、新任講師の奥村《おくむら》先生から『昼休みに高等部の調理実習室を使わせてほしいのですが』という連絡がありましたが、アレはどういう理由なんでしょう？　調理実習室なんて、何に使う気ですかね？　うむ……気になります。気になって仕事が手につきません。

まあ、頭に馬と鹿《しか》にまつわる二文字がつくほど真面目な先生のことですから、やましいことに使うとは思えませんが、ここはひとつ、先輩の教職者として様子を見に行ってみますか。

ああ、これは別に仕事をサボる口実とかではありませんから。私、あくまで紳士《しんし》ですので☆

そうですねえ、久しぶりの学園内見学ですし、本部からの使いが来ていても面倒なので、犬の姿で行きましょうか。

ちなみに、祓魔師《エクソシスト》であれば誰でも変身できるというわけではありません。私が特別なんです。え？　可愛《かわい》いですと？　当然です☆　私のこの姿をデザインしたメッフィー犬グッズは、正十字学園の購買《こうばい》や、メッフィーランド内の売店で売っていますので、あしからず。私のオススメは、メッフィー犬ぬいぐるみです。大・中・小・特大・キングサイズと揃《そろ》っております。とりわけキングサイズは背中にチャックがありまして……——いやいや、これも余談でしたな。

ふう……。ようやく、調理実習室のある棟《とう》に到着しました。

私の犬になった姿は実に愛らしいのですが、歩幅が小さくなるので大変です。

おや？　廊下の向こうから歩いてくる女子生徒は、祓魔塾《ふつまじゆく》の塾生・神木《かみき》さんではありませんか。こんなところでお会いするとは、これはまた奇遇《きぐう》ですな。

神木さんはクラストップの秀才で、手騎士《テイマー》としても才能あふれる優秀な塾生です。巫女《みこ》の血統でいらっしゃいますし、白狐《ビャツコ》を一度に二体も召喚《しようかん》したという報告を受けております。

今年は、某《ぼう》寺の座主《ざす》血統のご子息も入学されていますし、近年稀《まれ》に見る、将来有望な候補生《エクスワイア》に恵まれた年ですね。万年人手不足の祓魔塾としては、嬉《うれ》しいかぎりです。

——しかしながら、どうして神木くんはこんなにもじっと私を見つめてるんでしょう？

物凄《ものすご》く眉間《みけん》にしわが寄ってますし、さっきから瞬《まばた》きしてません。もしかすると、動物がお嫌いなのかもしれませんね。女性にしてはお珍しいですが、ここは紳士ですので、さりげなく避《よ》けて差しあげましょう……と思ったら、思いっきりついてきてますね。しかも、今度は異様なほど左右を確認しています。

やはり、ファイル上やたまに授業を見学するぐらいではわからないものですね。神木さんって、こんなに挙動不審《ふしん》な方でしたっけ？

おや、こっちに来るようですね。どうしたんでしょう？　あ、膝《ひざ》を曲げました。

「どーちたんでちゅか？　ワンちゃん。迷子になっちゃったんでちか？」

…………。

「よちよち♡　怖《こわ》くないでちよ～？　おねえちゃんが飼い主さんを見ちゅけてあげまちゅからねぇ～♡」

…………。

「んー、ふかふか、かぁいいかぁいいね♡」

……はっ、私、としたことが思考停止状態に陥《おちい》っていました。

このままその胸に抱っこされるようなことがあっては、教職者として、何かいろいろなものを失ってしまう気がします。奥村くんの膝に乗るのとはわけが違います。

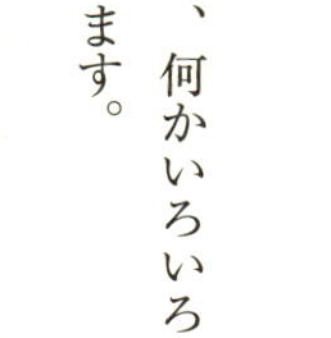

「あっ、ワンちゃん、どこ行くんでちか？」

危ない、危ない。

ふう、これぐらい離れれば大丈夫ですね。しかし、正直、驚きました。あの神木さんが……。

女性というのはやはり奥が深い。クールで孤高な雰囲気を持った女子生徒だと思っていましたが、物凄い〝デレ〟ぶりを見てしまいました。まさか、二次元ではなく三次元で、かの〝ツンデレ〟が見られようとは……！

私は〝魔性《ましょう》の女〟や〝可憐《かれん》な美少女〟が好きなのですが、今回のことで、〝ツンデレ〟もなかなかどうして——と思った次第《しだい》です。いやあ、〝萌《モエ》〟とは実に奥深い。このメフィストも脱帽です。

さて、調理実習室も近いことですし、そろそろ元の姿に戻りますかな。

おや、調理実習室の前が妙に騒がしいですね。

扉のところに何か看板のようなものがかかっているようですが、何でしょう？

——家庭料理の店・奥村屋　◆日替わりランチ五〇〇円

なかなかの達筆ですね。しかも味がある。特に、奥村屋の「村」の字の跳《は》ね具合が素晴らしい。

いや、違います。何ですか？　これは!?

ここは我《わ》が正十字学園高等部の調理実習室のはず。

なぜ、下町の定食屋っぽくなってるんですか？

しかも、扉の前に書《か》き損《そん》じっぽい紙が落ちています。学園内にゴミを捨てるなといくら言ったらわかるのでしょう。まったく。——ほう、こちらはわら半紙《ばんし》に黒のサインペンで書いたようですね。どれどれ？

——ウンチ五〇〇円

…………。

……………。

………………。

はっ、あまりの衝撃《しょうげき》にまた固まってしまいました。いけません。

あまりに汚い字のせいで「ラ」が「ウ」に見えただけですか。

しかし、どちらがどちらを書いたか聞かなくてもわかるところが、なんとも郷愁《きようしゆう》を誘いますな。

「あーまた来たよ！　いらっしゃいまぶッ」

「日替わりランチミソスープ大盛りで一つ」

私の姿を見て、驚きのあまり噛《か》んでしまったのは、祓魔塾の塾生・杜山《もりやま》さんです。真面目で可憐な女子生徒なのですが、まさか、彼女まで巻きこまれていようとは。なんとも、嘆《なげ》かわしい。

「私はあなたたちに商売させるために、実習室の使用を許可したわけじゃありません」

「……すみません」

ほう、このミソスープ、ちゃんと煮干《にぼ》しから出汁《だし》を取っていますな。ミソの配分も絶妙です。なにより、薄く刻《きざ》まれた茗荷《みようが》の香りがたまりません。

「だったら、こづかいせめて五〇〇〇円にしてくれよ！」

「いけません」

「なんで!?　セレブだろお前」

このサバミソも、実に味が良いですねえ。

一流割烹《かっぽう》の魚料理に勝《まさ》るとも劣《おと》りません。

「五千円札とかつまらないじゃないですか……二千円札のほうが面白《おもしろ》いです」

「そんな理由!?」

付け合わせの独活《うど》の皮のきんぴらも、絶妙な炒《いた》め具合ですな。

この九条葱《くじょうねぎ》の千切りとごま油で和《あ》えた辛子明太子《からしめんたいこ》と交互に食せば、ライス何杯でもいけそうです。

「二千円札が不服なら、百円札ではどうですか？　最近、百円のものを敢《あ》えて百円札で払うのがマイブームでしてね。——あ、ミソスープおかわりで」

「キサマのマイブームなど知るか……!」

「兄さん!」

ところで、奥村くんは何をそんなに怒っているんでしょう?

——PM02:35

携帯をチェックしていたら、なんと、witter のほうに例のソフトの目撃情報が☆　やは

り、持つべきものは暇を持て余したオタクの友ですな。

meffy メッフィー
弟（アホ）に神ソフトを壊されちゃったよ〜。・゜・(ノД`)・゜・。うわあああああん
もう手に入らないかな？？？（´Ａ｀。）グスン　某ソフトを見かけたら、
情報求ム☆（*´｜｀）ﾉ゜.:*:.。.ﾖﾛﾋﾟｺ...:*:.゜*ヾ(´｜｀*)
3時間前

hetareGamer ヘタレゲーマー
@meffy メッフィー　メッフィーさんお探しのソフト、南十字商店街の玩具屋で見かけたよ〜。しかも、新品ってアリエナクネ？
10分前

さっそく、我が愛車で向かいましょう。
ちなみに、愛車のリムジンもメフィストピンクです。中ももちろん、メフィストピンク。物質界《アッシャー》じゅうの銘酒が楽しめるバーカウンターなどもあります。むろん、特注ですので。

あしからず。

――もうすぐ南十字《みなみじゅうじ》商店街ですな。商店街にリムジンで乗りつけるというのも野暮《やぼ》ですから、ここら辺で降りて向かいますか。

私《ワタクシ》、そこら辺の常識は紳士《しんし》ですので備《そな》わっております。

おや……こんなところにゲームセンターが。学校帰りの小学生がクレーンゲームに集まっていますね。しかも、私の愛するうさ吉《きち》くんのぬいぐるみを狙《ねら》っているようですな。

うずうず――はっ！　いけませんねえ。ここは素通りして、ヘタレゲーマーさんの教えてくれた玩具屋《おもちゃや》に行かねば。

「よっちゃん、スゲー！　マジ、三個取りとか、神じゃねえ？」

「ホント、クレーンゲームの神だよな。もう、よっちゃんに取れないものなんか、なくねー？」

「なあ、なあ、今度はこっちのうさぎを取ってくれよ！」

「はん。そんなん、よゆーよゆー。目をつぶってても取れるぜ」

「よっちゃん、すっげー!!!」

……………。

ああ、私のダイアモンドのように固く、鉄板のように分厚《ぶあつ》い忍耐もここまでのようです。

「――あ？　なんだよ、このピンクのおっさん」

「ナニ？　このおっさん？　ヤバくない？」

「今、俺ら、クレーンゲームやってんですけどぉー」

「邪魔《じゃま》しないでくれませんかぁ？」

フフフフ……坊やたち、本物のクレーンゲームの神というものを見せてあげましょう☆

――PM04:10

やれやれ。ついつい子供相手に本気になってしまいました。私《ワタクシ》としたことが……まあ、純真な子供達から「神！」と崇《あが》められるのも悪くはありませんな。私、悪魔ですけど☆テヘ☆

それに、玩具屋《おもちゃや》でくだんのソフトもゲットできましたし、うさ吉くんのレアぬいぐるみも取れたことですから、結果オーライといきましょう。

おや？　部屋に誰かいるようですね。ネイガウスでしょうか？　本部の人間だったら居《い》留守《るす》を使いましょう。

「兄上。お帰りなさい」

「……お前か。アマイモン」

お前には言いたいことが山ほどあるのだよ。

私が兄としての威厳《いげん》を持って弟を睥睨《へいげい》すると、彼はおもむろにＰＳＲのリモコンを差し出してきました。

「今日は、兄上のお気に入りの対戦ゲームを勉強してきました」

「ほう——それは感心だ」

「つきましては、お手合わせ願います」

ふむ。弟の分際《ぶんざい》で、私に対戦しようというのか。よろしい。私の操《あやつ》るオブト大佐の『月《げっ》精《せい》古武術秘《ひ》奥義《おうぎ》・新月《しんげつ》』にて返《かえ》り討《う》ちにしてやろうではないか。

『クエーサーウェーブ！！！』ドッ
『月精古武術秘奥義・新月！！！！！』ズシャアァ
『ぐあああッ』
『ＫＯ!!』

『古きものは破壊し再生する』

「兄上うまいですね。――モグモグ」

「当然だ。お前とはやり込みが違うのだよ」

「すごくうまいです。モグモグガリガリ」

「ぐオおお!? クッソ――!!? 私の特注カラー〝メフィストピンク〟のリモコンがー!!!!!」

――PM07:20

「兄上、お可哀相《かわいそう》に。元気を出してください」
「……お前、自分のせいだということがわかっているのか?」
昨日《きのう》のソフトに引き続き、特注のリモコンを壊されて――もとい、喰《く》われてしまった私《ワタクシ》は、自分でも引くぐらい落ちこんでおります。ああ、もう自分以外の全員、不幸になればいいのに……という、ネガティブな気持ちでいっぱいです。この傷ついた心を癒《いや》すには、私の大好物ベスト3《スリー》である〝チーズ豚《ぶた》モチもんじゃ〟しかありません☆
というわけで、晩ご飯は学園の外《はず》れにある私のお気に入りの店に参りました。

もちろん、チーズ豚モチもんじゃにラムネをチョイスです。

以前、塾の新入生達の候補生《エクスワイア》全員昇格を祝って、皆でここに来た時は、奥村くんにチーズ豚モチもんじゃを盗《と》られてしまった苦《にが》い思い出がありますので。おのれ、サタンの息子《むすこ》め……!!　——いや、いや。もちろん、本気で怒ってなどいませんよ？　自分で言うのもなんですが、私は心やさしい兄ですから。

どれ。そろそろ焼けましたかな？


「兄上うまいですね。——モグモグ」

「当然だ。ここのチーズ豚モチもんじゃは私の大好物ベスト3だぞ」

「兄上。すごくうまいです。モグモグガリガリ」

「え……ちょ……待!!　だから、それは、私の大好物ベスト3なんだぞ!!　それを鉄板ごと食う奴《やつ》がどこにいる!!!!　あー!　私のチーズ豚モチもんじゃがア゛ぁぁぁぁぁぁー!!!!」


おのれ、サタンの息子め……!!

揃いも揃って私の大好物を横取りするとは、なんたる兄不幸な弟達だ!!!

nixi

メッフィーさんの日記

傷心☆【友人の友人まで公開】　　20××年××月××日

アホな弟に、PSRのリモコンをダメにされた挙句、大好物のチーズ豚モチもんじゃまで横取りされちゃったよ〜。・゜゜・(≧д≦)・゜゜・。ｴｰﾝ!!
前は、下の弟（こっちもアホ）に取られちゃったし、ホント、お兄ちゃんって損だよネ☆(ノд-。)ｸｽﾝ
でも、某神ソフトを手に入れられたから、ちょっぴりシアワセ……(*' ― '*)ふふっ♪

♡イイネ　Re: コメント

♡イイネ!(14)

――AM00:00

正十字学園内にある開発予定地には、骨組だけのビルが白骨化した巨大な獣《けもの》のようにそびえ、下界を睥睨《へいげい》している。

その足場の一つに、まるで影のように佇《たたず》んだメフィスト・フェレスの表情は、実に筆舌《ひつぜつ》に尽《つ》くしがたかった。昼間の陽気で飄々《ひょうひょう》とした彼からは想像もつかぬほど、陰鬱《いんうつ》な微笑を浮かべている。苛立《いらだ》ったようでも、恍惚《こうこつ》としたようでも、嘲笑《あざわら》っているようでもあった。

「美しい夜景だ」

闇《やみ》の中、メフィスト・フェレス《光を愛せざる者》が告《つ》げる。

長い間、強い魔力を持つメフィストの憑依《ひょうい》に耐《た》えている男の身体《からだ》は、疲弊《ひへい》し、両目の下に深い隈《くま》が刻《きざ》まれている。その上で二つの穴のような目が、眼下に広がる夜景を見下ろしている。

「しかしながら、神が六日もの間働き、最後に喝采《かっさい》したほどの世界で在《あ》れば」

憑依体の声帯を震わせ、低い声音《こわね》でつぶやく。

「もっともっと、氣の利《き》いた趣向で、己《おれ》を面白《おもしろ》がらせてもらわねば困る――」

ニィ……と微笑《ほほえ》んだ頬《ほお》が、闇に包まれ、同化していく。

両手を広げたその姿は、道化《どうけ》を装《よそお》う歪《ゆが》んだ殺戮者《さつりくしゃ》のようにも、色とりどりの玩具《おもちゃ》を前に歓喜《かんき》する子供のようにも見えた。

青の祓魔師　ウィークエンド・ヒーロー　あとがき

「青の祓魔師」がアニメ化してから、さまざまなメディアミックス展開があり、
この小説化もそのひとつだったのですが、
矢島綾先生は、以前からマンガを読んでくださっていたようで、
とても情熱的に引き受けてくださり、
そういう方に小説にしていただけた事は、とても有難かったです。

どのキャラクターも、とてもよく把握していただいていて、
マンガでは出来ない、文字の表現で生き生きと動かしてくださいました。

矢島先生、お疲れ様でした！　そしてありがとうございます。
イラスト忙しくて、汚い鉛筆な上に、数点しか描けず、申し訳ありません…。

キャラクター達の、普段マンガには出てこないエピソードが満載ですので、
買っていただいた皆さんも楽しく読んでいただければ何よりです。

加藤和恵

この度は、『青の祓魔師』ノベライズ版をお手に取っていただき、ありがとうございます！

なにぶん、連載第1回目からの熱烈なファンなもので、今度のお話をいただけた時には、うれしさのあまりリアルに失神しかけました。

手とか、本気で震えました。お仕事中も常に夢見心地状態で、あのキャラも書きたい、このキャラも書きたい……と右往左往した結果、大入満員（？）の一冊になりました。

加藤先生、青エクという魅力あふれる世界を産み出してくださって、本当に本当にありがとうございます。また、お忙しい中、素晴らしいイラストの数々、一ファンとして感無量です……！

皆、かわいいです……！　キラキラした宝石箱みたいです!!

担当の六郷様、その的確なアドバイスに、何度、救われたかわかりません。

まさに、心の羅針盤状態でした。

それから、このような機会をくださったｊ－ＢＯＯＫＳ編集部の皆様、ＳＱ．担当の林様、この本に携わってくださった沢山の方々、本当にありがとうございます。お世話になりました。

最後に、この本を読んでくださった皆様が、本編と合わせて楽しんでくださることを願って……。

矢島綾

■初出
青の祓魔師　ウィークエンド・ヒーロー　書き下ろし

[青の祓魔師] ウィークエンド・ヒーロー

2011年9月7日　第1刷発行
2023年12月30日　第6刷発行

著　者／加藤和恵 ◉ 矢島綾

編　集／株式会社　集英社インターナショナル

〒101-8050　東京都千代田区一ツ橋2-5-10
TEL　03-5211-2632(代)

装　丁／シマダヒデアキ＋角田正明 [L.S.D.]

発行者／瓶子吉久

発行所／株式会社　集英社

〒101-8050　東京都千代田区一ツ橋2-5-10
TEL　03-3230-6297（編集部）03-3230-6393（販売部）
03-3230-6080（読者係）

印刷所／TOPPAN株式会社

Printed in Japan　ISBN978-4-08-703252-9 C0093

検印廃止